「相対論」「集合論」といったペテンが、現代人の心を蝕んでいる

革島 定雄

東京図書出版

「相対論」「集合論」といった
ペテンが、現代人の心を蝕んでいる

目次

1 はじめに

われわれはどこから来てどこへいくのか？
私たちは死んだらどうなるのか？
自分はなぜ今ここにいるのか？
人間存在の意味は何か？
パスカルはこういう質問に対する答えを求めて思索を続けた。
一方デカルトはこういった質問に無関心であった。
しかしスピノザやニュートンはこういう質問に対する答えを知っていた。
つまり汎神論である。

ガリレオ・ガリレイもアイザック・ニュートンも「相対性原理」など主張してはいません。彼らは地球が自転という絶対運動をしていることを知っていましたし、また彼らやヨハネス・ケプラーは地球や他の惑星が太陽の周りを周回（つまり公転）していることも完全に理解していました。回転運動や周回運動においては角運動量保存則が成立しますが、この法則が成り立つためには絶対静止空間の存在が必須となります。回転運動が相対運動ではなく絶対運動でなくてはならないことを、ニュートンは「ニュートンのバケツ」ではっきりと証明しましたし、後にニュートン力学を研究してニュートン力学の幾何学的表現を解析学的表現に書き改めた大数学者のレオンハルト・オイラーも、絶対空間が存在しなければニュートン力学が成り立たないことを完全に理解しており、絶対空間を否定しようとしたイマヌエル・カントに忠告を与えて翻意させてもいます。

ガリレイやニュートンが角運動量保存則およびその極限（つまり無限遠点に対する角運動量保存則）としての狭義の運動量保存則を示していたのに対して、近代になって一部の科学者たちが、前者を無視して後者のみを「慣性の法則」として取り上げて、物質が存在するこの宇宙には実在しえない広域的慣性系を想定し、思考実験によって「相対性原理」なるものをひねり出したわけです。そしてその相対性原理というペテン原理を「ガリレイの相対性原理」とか「ニュートンの相対性原理」などと呼ぶのは、先達の真意を捻じ曲げてその名声を権威づけに利用しようとする詐欺的行為なのです。

「世界は理解可能である」とする理神論者が絶対空間を否定しようとするのは、バークリー主教が「自分には運動は相対的なものしか考えられない。絶対空間を否定することによって、空間が神であるか、あるいは神のほかに永劫《えいごう》にして無限な、そして被造物でない何ものかが存在するかという危険なジレンマからのがれることができる」と述べてニュートンに反論したように、絶対空間を認めることが「神即《すなわち》自然」の汎神論を認めることに繋がってしまうのを恐れたからに違いありません。

2 「相対論」はペテンである

相対性理論の解説本には大抵、「相対性原理を最初に発見したのはガリレオ・ガリレイである」というふうに説明されています。ところがガリレイの『天文対話』を読むと、彼が「相対性原理」など主張していないということはすぐにわかります。彼は「地球が自転している」という事実を説明するにあたり、まず角運動量保存則を説明したのであって、決して「物体は、外部から力を加えられない限り、静止している物体は静止状態を続け、運動している物体は等速直線運動を続ける」という直線運動のみに限定した狭義の慣性の法則を唱えたわけではありませんでした。そのことを確かめるために、『天文対話』から当該部を引用します。ところで、この『天文対話』は題名どおり対話形式で書かれており、主な登場人物はガリレイ自身の分身であるサルヴィアチとアリストテレスの追随者としてのシムプリチオです。まずサルヴィアチの次の発言を引用します。

サルヴィアチ　もっとも強力なものとしてすべての人びとが持ち出すのは重い物体による根拠です。重い物体は高いところから下方に落とされると大地の表面に垂直な直線に沿って進みます。これが大地は不動であるということの議論の余地のない論証とみなされています。というのは、もし大地が日周運動をするならば、塔の頂上から石を落下させると、塔は大地の回転によって運ばれていますから、石がその落下に費やす時間に塔は何百腕尺も東に進み、石は塔の根元からそれだけの距離の間をおいて地面に着くはずです。この出来事はもう一つの経験で確認されます。すなわち鉛の球をじっとしている船のマストの頂上から落とすのです。そしてそれが落ちたマストの脚近くに記しをつけます。しかし船が走っているときに同じ場所から同じ球を落とせば、その落ちた場所は鉛の落下時間に船がさきに走っただけの距離をおいてさきの場所から離れているはずです。(後略)

このようにサルヴィアチが、地球が自転などしていない事を確かめる方法をほのめかして、さりげなくシムプリチオに水を向けると、ややあって、シムプリチオがまんまとこの誘いにのってきます。

シムプリチオ　……そのうえ、きわめて適切な実験があります。それは船のマストの頂上から石を落とすもので、この石は船がじっとしておればマストの根元に落ちます。しかし船が走っておれば、この石は、これが落ちる時間に船が前進しただけ同じ点から離れて落ちます。それは、船の進み方が速ければ、数腕尺にもなります。

サルヴィアチは待ってましたとばかりに、シムプリチオに彼の主張を確認し、しっかりと言《げん》質《ち》をとります。

サルヴィアチ　ぼくも君が、大地の出来事は船の出来事に対応しているという見解をつづけて固持して下さるようお願いします。というのは、このことが君の必要とされることに有害であることが発見されたとき、考えを変えるような気になられないためです。君のいわれるのによると、船がじっとしているときは石はマストの根元に落ちる、また船が動いているときは、石は根元から離れたところに落ちる、だから逆に、石が根元に落ちることから船のじっとしていることが推論され、離れて落ちることから船の動いていることが論証されるというのです。また船について生じることはやはり大地についても起こらねばならぬから、石が塔の根元に落ちることから地球の不動性が必然的に推論されるというのです。これが君の議論ではありませんか。

シムプリチオ　その通りです。短くなったので非常にわかりやすくなりました。

このように言質をとった上で話を次に進めます。

サルヴィアチ　……ところで君は今までに船についてのその実験をしたことがあります

か。

シムプリチオ いや、したことはありません。しかしそれを述べている著者たちは熱心にそれを観察したものと思います。それにその相違の原因がそんなに明らかに認められるからには、なんら疑う余地はありません。

サルヴィアチ あの著者たちがその実験をせずに述べていることもありうるということでは、君自身がそのよい証拠です。というのは、君はそれをやりもせずに確かなこととし、かれらのいったことに信頼してしまっているからです。ですからかれらもまたそうした、すなわちその先人たちに信頼してしまった、そしてその実験をした一人の人にも達しないということは、単にありうるというだけのことではなく、必然的なことです。というのは、もしたれか一人でもそれをやれば、その実験は書かれていることの正反対を示すのに気づくでしょうから。すなわち石は船がじっとしていようとどれほどの速さで動いていようと、つねに同じ場所に落ちることが示されるでしょう。ですから大地についても船についてと同じ根拠のある以上、石がつねに塔の根元に落ちることからは大地の運動についても静止についても何も推論されることはできません。

サルヴィアチは「先人たちは誰一人その実験をしていない」と断言します。その理由は「そんな実験結果になるはずがないから」だというのです。

シムプリチオ　ではどうして君は百の立証どころか一つの立証すらもなさずに、こんなにはっきりとそれは確かだと主張するのですか。ぼくはそれが相変らず信じられませんし、またその実験はこれを用いている主だった著者たちによってなされたし、その実験はかれらの主張していることを示すものと相変らず信じます。

サルヴィアチ　ぼくは実験なしに、結果は君にいったようになることを確信します。というのは、そうならなければならないからです。さらにぼくは、君がたとえそれを知らないふりをし、知らないふりをしているつもりであっても、そうならざるを得ないことを君自身も知っているということをつけ加えましょう。（後略）

次にサルヴィアチは、そんな大層な実験をわざわざ実施しなくても、身近な体験から結果が明らかであることを示します。

サルヴィアチ　……君は鏡のように滑らかで鋼鉄のように硬い材質の平らな面を地平線に平行でなく少し傾け、その上に完全な球形の、たとえば青銅のような重くて非常に硬い材質の球をのせ、これを自由にした場合、この球はどうすると思いますか。（中略）

シムプリチオ　球は決してじっとしているとは思いません。むしろ傾いている方に自分で動いてゆくに違いありません。

（中略）

サルヴィアチ　……ところでその球はどれだけ、またどんな速さで動きつづけますか。ぼくはあらゆる外的・偶然的障害を除くため、最も完全に丸い球、最も正確に滑らかな面といったことに気をつけて下さい。したがってかき分けるのに抵抗する媒体の空気の障害やその他にありうるあらゆる偶然的な妨害も捨象してほしいのです。

シムプリチオ　……その球は面の傾斜がつづくかぎり無限に、そしてたえず加速する運動で動きつづけると答えましょう。（中略）そして傾きが大きくなればなるほど、速さも大きくなるでしょう。

（中略）

サルヴィアチ　……それでは、この同じ運動体は上にも下にも傾いていない表面上でどうするか、いって下さい。

シムプリチオ　この場合、答える前に少し考えねばなりません。これは下方に傾いていないのですから運動への自然的傾向はあり得ません。しかしまた上方へ傾いてもいないのですから動かされることに対する抵抗もあり得ません。ですから運動への推進と抵抗との間でどちらにも偏らないことになるでしょう。ですから自然的にはじっとしておらねばならぬように思います。（中略）

サルヴィアチ　……どちらかの方向に向って衝撃を与えられた場合はどうなるでしょう

か。
シムプリチオ　その方向に動きつづけるでしょう。
サルヴィアチ　しかしどのような種類の運動ですか。下方に傾いている面上におけるような継続的加速運動ですか。それとも上方に傾いている面上におけるような連続的減速運動ですか。
シムプリチオ　加速の原因も減速の原因も見いだされません。下方へも上方へも傾いていないのですから。
サルヴィアチ　そうです。しかしもし減速の原因がないのなら、まして静止の原因もあり得ません。それで君は、この運動体はどれだけ運動をつづけると思いますか。
シムプリチオ　上りも下りもしていないその表面の長さがつづくかぎりです。
（中略）
サルヴィアチ　……上へも下へも傾いていない表面は、そのあらゆる部分において中心（引用者注：地球の重心）から等しい距離にあるはずです。ところで世界にいったいそのような表面があるでしょうか。
シムプリチオ　なくはありません。この地球の表面がそうです。もっとも、今あるような粗雑で山が多い表面ではなく、ずっと滑らかであるとしての話ですが。しかし凪いで穏やかなときの水面はそうです。

サルヴィアチ　ですから平穏な海を動いてゆく船は上へも下へも傾いていない表面の一つを進む運動体の一つです。だからあらゆる偶然的で外的な障害を除いた場合、一度衝撃を与えると、たえず斉一的に運動しようとします。

シムプリチオ　そうなるはずのように思えます。

サルヴィアチ　したがってマストの頂上にある例の石も、船に運ばれて中心の周りの円周に沿って外的障害を除かれると、そのうちにある抹殺されることのない運動をするのではありませんか。

この「うちにある抹殺されることのない運動をする」という主張こそがガリレイの〝慣性の法則〟でしょう。つまり船と船上の石が、地球の重心の周りの円周（つまり水面）に沿っても つ角運動量は同じであり、したがって石は船の甲板面に対し東西南北どの方角にもまったく動いていないことを示したのです。つまりガリレイは、地球が球形をしておりなおかつ日周運動（つまり自転）をしていることを説明するための一助として、角運動量保存則を示したのであり、そのためにわざわざ「凪いで穏やかな水面を直進（つまり地球の表面をその大円に沿って周回）する船」を持ち出したのです。この丁寧でたいへん理に適ったガリレイの説明をもとに、ガリレイは『天文対話』において「ガリレイ変換によって変換するあらゆる慣性系において物理法則が不変である」といった「ガリレイの相対性原理」を示した、とするのはガリレイの真意を著しく捻じ曲げてしまう行為でしかないのです。ガリレイが、実は絶対空間に対して自転する地球の表面における角運動量保存則を示そうとしていたのに、相対論者達は、ガリレイが、フラットアース（地球平面説）論者のように、平板な地球がある慣性系空間に対して水平直線運動をしていると見なしていたかのように曲解し、「相対性原理」をでっち上げたわけです。後にニュートンが明示したように、角運動量保存則が成り立つためには絶対空間の存在がなくてはなりませんが、相対論者はおそらく何としても絶対空間を否定しようとして相対性原理を捏造したのでしょう。

ガリレオ・ガリレイやニュートンらによって確立された古典力学から、（現在では「ガリレイの相対性原理」と呼ばれる）「相対運動の原理」が得られると最初に主張したのはアンリ・ポアンカレでした。ポアンカレは数学者であったので、数学的に定義しようがないと彼が考えた「絶対空間」の存在を否定しようとしました。その絶対空間否定の根拠として示したのが、この「相対運動の原理」だったのです。ポアンカレ著『科学と方法』より引用します。

誰にてもあれ、絶對空間について語るものがあれば、それは意味なき言を弄するものである。これはこの問題を反省したほどのすべての人によって以前からいい古るされた眞理であるが、吾々はこれをあまりに忘れ勝ちである。

このようにポアンカレは、ニュートン力学では不可欠の絶対空間の存在を数学者の立場からあっさりと否定してしまいます。その論法は、まず慣性の原理と運動の第2法則より「相対運動の原理」が得られるとして、絶対運動は相対運動と区別しようがないのだから絶対運動は論理的に定義しえず、したがって絶対空間も存在しないと結論するものです。同書には次のように記述されています。

こゝに力學上の原理の如何なるものかを簡単に再録してみよう。

A、孤立した、外力を受けない質點の運動は直線等速である。これは慣性の原理であって、力がなければ加速度のないことを表わす。

（中略）

……相對運動の原理が得られる。これにより、質點系の運動は、これを固定した座標軸に關して表わしても、或はまた直線等速運動をなす動座標軸に關して表わしても、その法則は同一であり、したがって絶對運動とかゝる動座標軸に對する相對運動とを區別することは不可能であるということになる。

この引用において、ポアンカレは「孤立した、外力を受けない系（つまり孤立慣性系）」の存在を前提として慣性の法則を述べていますが、実はそのような系は自然界には存在しません。

ガリレイやニュートンは、地球の表面、地球――月系および太陽系のような自由落下系（およびその内部や表面）は近似的慣性系とみなすことができ、その系では絶対空間に対する角運動量保存則が成り立つと考えました。またそれらの系、さらには天の川銀河や他の銀河も、その重心を中心とした角運動量を持っており、これらの系に対して等速直線運動する系はもはやまったく慣性系ではありません。「互いに相対的に並進運動を行っている無限に多くの等しく正当な系――慣性系――が存在し、」といった相対性原理の前提となるような慣性系が実は一つも存在しないのですから、相対性原理など決して成立するはずがないのです。例えば、ウィキペディアの「慣性系」の項には、慣性系の例としてはただ一つ次の例のみが記載されています。

太陽系の重心に原点を取り、恒星系に対して回転しない座標系は慣性系に近いことが現在分かっている。

ではこの座標系に対して、例えば冬至の日の地球の位置の方向に向かって、3カ月で太陽と地球の距離を進む速度で、原点が等速並進移動する座標系を考えてみましょう。この座標系は慣性系でしょうか？　いいえ、この座標系はもはや近似的な慣性系でさえもありません。同じくウィキペディアの「慣性系」の項には次のような記述もあります。

ある慣性系 S_1 に対して等速直線運動する座標系 S_2 において物体は外力を受けない限り等速直線運動を行うので、S_2 は慣性系である。

しかし先に記したように、そのような条件を満たす慣性系 S_1 の具体的な例は唯の一つも無いのです。そのことが示しているのは、相対性原理が想定するような慣性系は実在しないという事実なのです。ということは、いわゆる「ガリレイの相対性原理」のみならず「特殊相対性原理」も成り立たないことを意味しており、結局は「特殊相対性理論」が誤っているということにもなるのです。そもそも「古典力学ではガリレイの相対性原理が成り立っている」ということにしたのは、特殊相対性原理を正しい原理であるかのように信じ込ませるためだったのでしょう。

近年ロシアでは相対性理論に対する批判的な論文の発表が続いているようで、それらの論文を、〝還暦をすぎてから物理学を趣味として勉強し始めた元翻訳者〟と自己紹介する吉田正友氏が、自ら日本語に翻訳して「物理の旅の道すがら」というインターネットサイトにアップされています。そこから少し引用します。

相対性理論は現実の世界の物理的描像と合致していない。自然によって設定された問題に対する答えの探求は，古典力学の豊かな基礎のみを用いて行なわなければならない。

（『アインシュタインの根本的誤謬』L・A・カリーニン、2003）

相対性理論は，特殊相対性理論と一般相対性理論のいずれも，無批判的な想像力，知識不足，そしてあからさまなペテンから生まれた結果であり，科学もどきの堆積物である。（中略）それは，空想的な思いつきと論理的ごまかしの寄せ集めなのである。相対性理論は，読者が常識を持っているかどうか，催眠暗示に対してどの程度の抵抗力を備えているかを検査するための，一種のテスト問題として利用することができる。

（『相対性理論——20世紀の瞞着』V・I・セケーリン、2007）

既にニュートンが先人たち（とりわけ古代ギリシア人）の仕事を見事にまとめ上げ，その著書『自然哲学の数学的諸原理』（引用者注：『プリンキピア』のこと）において明確な形で定式化した，古典的な空間と時間の概念に戻ることを余儀なくさせる。

（『物理学の根拠〈批判的な眼差し〉：相対性理論の基礎に対する批判』S・N・アルテハ、2018）

以上にみられるように、ロシアの物理学界においては、今や相対性理論批判がタブーではなくなってきているようですが、それに対して、わが国や米国、西欧においては物理学会内部における相対論批判はいまだにタブーであるようです。しかし、ロシアで何人もの専門家が「相対性理論」の誤謬を指摘しているという事実を、わが国や欧米の物理学者もいつまでも無視し続けるわけにはいかないでしょう。

3 絶対空間は存在する

ニュートンの『プリンキピア』を読んでもなおかつ絶対空間を否定する人は、「自然は論理的に理解できるはずだ」という理神論の世界観に染められてしまっており、きっとそこから逃れられないのでしょう。彼らはまた同時に、この世界に絶対のものなど存在しない、という信仰のようなものを持っているようです。彼らには、以下のようなニュートンの主張に対して、いったいどのように反論するのか尋ねてみたいものです。『プリンキピア　自然哲学の数学的諸原理』から引用します。

II　絶対的な空間《スパティウム・アブソルトゥム》は、その本性として、どのような外的事物とも関係なく、常に同じ形状を保ち、不動不変のままのものです。相対的な空間は、この絶対空間の測度、すなわち絶対空間のどのようにでも動かしうる広がりで、われわれの感覚によってそれの物体に対する位置より決定されるものであり、人々によって不動の空間のかわりにとられているところです。地球に関するその位置によって決められる、地下空間の広がりとか、大気圏の広がりとか、天界の空間の広がりとかいったものです。（後略）

絶対空間の存在は、現在では宇宙マイクロ波背景放射（ＣＭＢ）の観測によって、ＣＭＢ静止座標系としてすでに観測されていますし、あのアインシュタインでさえ、晩年には一般相対性理論が空間の性質としてのエーテルの存在を要求するとして、エーテル（実際には絶対空間）の存在を認めるようになったのでした。引用を続けます。

Ⅳ　絶対運動《モトゥス・アブソルトゥス》とは物体の絶対的な場所から絶対的な場所への移行であり、相対運動《モトゥス・レラティウウス》とは相対的な場所から相対的な場所への移行です。ですから帆走中の船の中で、物体の相対的な場所とは、その物体が占めている船の部分、あるいはその物体が満たしている船の空所《あきま》全体のことです。したがってそれは船といっしょに動きます。また相対的な静止とは、物体が船の、あるいは船の空所の、同じ部分にひきつづきあることです。しかし真の、絶対的な静止というのは、その中を船自体も、その空所や、船にあるものすべてとともに運動している、不動の空間の同一の部分に物体が存続することです。それゆえ、地球が真に静止しているとすると、船に相対的に静止している物体も、船が地球に対して運動する速度と同じ速度で、真に絶対的に運動することになるでしょう。しかし地球もまた動いているとしたら、この物体の真の絶対的な運動は、一部は不動の空間における地球の真の運動から、一部は地球に対する船の相対運動から、生ぜられるでしょう。また物体が船に対しても相対的に運動しているとすると、それの真の運動は、一部は不動の空間における地球の真の運動から、一部は地球に対する船の相対運動ならびに物体の船に対する相対運動から、生ぜられることになるでしょう。そして後の二つの相対運動から、地球に対するこの物体の相対運動が生ぜられます。いま船が存在している地球の部分は東に向かって10010部分の速度で真に運動し、また船は帆に風をはらんで西方に10部分の速度で運ばれるとし、一方水夫がこの船上を東に向かって1部分の速度で歩くとしますと、この水夫は、不動の空間に対しては10001部分の速度で東に向かって真に絶対的に動き、また地球に対して相対的に西に向かって9部分の速度でもって動く、ということになります。(後略)

ここでの記述は、もちろん自転している地球が絶対空間の同じ場所に止まっていると仮定すればの話です。銀河系のサブシステムとしての太陽系、さらにそのサブシステムとしての地球——月系、さらにその一部である地球の表面が近似的慣性系であること、そして絶対空間に対する回転つまり地軸の周りの角運動量保存則の話であることを理解すれば、きっと納得できるでしょう。次に同書より、有名な「ニュートンのバケツ」の部分より引用します。

絶対運動を相対運動と区別する効果は、円運動の回転軸から遠ざける力です。なぜなら、そのような力は、純粋に相対的な円運動では存在しませんが、真の絶対的な円運動では、その運動の運動量に従って大きくなったり小さくなったりするからです。長いひもでつるした容器を、そのひもが強くよじれるまで何回もまわし、次に容器に水を満たして、水とともに静止させておき、これに急に他の力を働かせると、容器は逆向きにまわり、ひものよじれが解けてしまうまでの間、ある時間容器はこの運動を続けます。このとき最初は、水の表面は、容器が動きはじめる前と同様、平面ですが、そのあと、容器はしだいにその運動を水に伝え、見てとれるほど水を回転させはじめ、しだいに水を中心から遠ざけ、容器の縁の水位が上昇し、水は中心のくぼんだ形をつくってゆきます。〔わたくしが実験したとおり〕この運動が速くなればなるほど、水は高く盛り上がり、ついには水の回転が容器の回転と同じ時間で行なわれるようになり、水は容器に対し相対的に静止するにいたります。この水の盛り上りは、水がその運動の軸から遠ざかろうとするコーナートゥス（引用者注：慣性力。ここでは遠心力のこと）を示すもので、そのようなコーナートゥスによって、水の真の絶対的な円運動が、その相対運動とは正反対の向きのものですが、認められ測られるわけです。最初、容器に対する水の相対運動が最大であったときは、その運動は回転軸から遠ざかろうとするコーナートゥスをまったく生じませんでした。水は周辺に向かい容器の縁において盛り上がる傾向を示さず、水面は平らなままでした。ですから水の真の円運動はまだ始まらなかったわけです。しかしそのあと、水の相対運動が減ったときには、容器の縁における水の盛り上りが水の回転軸から遠ざかろうとするコーナートゥスを明らかにしました。そしてこのコーナートゥスは、水の真の円運動がたえず増大し、ついには、水が容器に関し相対的に静止したとき、それが最大になることを示したのでした。それゆえこのコーナートゥスは、水がまわりの物体に関して移動することに依存するものではなく、したがって真の円運動は、そのような移動によって規定することができません。回転する任意の物体の真の円運動はただひとつしかなく、固有の持続される効果として唯一のコーナートゥスに対応するものです。ところが相対運動は、外部の諸物体に対するさまざまな相互関係に従って無数に存在し、相互関係という形にあって、それのただひとつの真の運動と関連するという以外、何か別の真の効果をまったく欠くものです。

エルンスト・マッハやポアンカレの相対主義の立場では、この「ニュートンのバケツ」による絶対空間の存在の証明にまともに反論できません。マッハなどは苦し紛れに、「宇宙の全ての物質を静止したバケツの周りを回らせてみよ」などと反論したそうですが、その「宇宙の全ての物質」を容れる空間は決して相対空間ではありません。それは宇宙の唯一の空間つまり絶対空間でなければならないのです。したがって「宇宙の全ての物質」に言及した時点で「マッハの相対主義」は破綻してしまっているのです。次に『プリンキピア』より運動の第1法則を引用します。

法則I　すべて物体は、その静止の状態を、あるいは直線上の一様な運動の状態を、外力によってその状態を変えられないかぎり、そのまま続ける。
投射体は、空気の抵抗によって遅らされず、重力によって下方へ押しやられないかぎり、その運動を続ける。各部分が凝集することによってそれら自体をたえず直線運動から引きもどしている独楽《こま》は、空気によって遅らされないかぎり、回転することをやめない。諸惑星や諸彗星といったいっそう大きな物体は、抵抗の僅少《きんしょう》な空間中においてそれらの前進運動も円運動もともにさらに長い時間継続する。

ニュートンのこのオリジナルの第1法則に対して、ウィキペディアには次のように記載されています。

運動の第1法則は、慣性系における力を受けていない質点の運動を記述する経験則であり、慣性の法則とも呼ばれる。ガリレイやデカルトによってほぼ同じ形で提唱されていたものをニュートンが基本法則として整理した。
「すべての物体は、外部から力を加えられない限り、静止している物体は静止状態を続け、運動している物体は等速直線運動を続ける」

現代の物理学界では、このウィキペディアの記述のように、『プリンキピア』における「法則I」の第二段落部分が完全に無視されてしまっています。しかし第二段落部分を含めて読めばニュートンの主張の真意がいわゆる〝慣性の法則〟などではなく角運動量保存則であったことがあきらかになります。先の引用で示した、西から東へ航行する船上を東から西に向かって歩く水夫の絶対運動についての考察も、地球という球面上での直線運動つまり角運動量についての話だったわけです。したがって、法則Iの「直線上の一様な運動の状態を続ける」というのは、重力のある地球上においては「地球面における直線（つまり地球面の大円）に沿った一様な運動の状態を続ける」つまり地球の重心のまわりの角運動量が保存されることを意味していたことは間違いありません。そして角運動量保存則が成り立つならば、質点からどれだけ離れた点のまわりの角運動量も保存されなければならないわけですから、無限遠点のまわりの角運動量つまり直線運動の運動量も保存されることになり、こうやって運動量保存則が導かれます。そしてここで保存される運動量とは絶対空間に対する運動量を意味しているのです。

以上示したように、ニュートン力学の運動の第1法則とは、いわゆる慣性の法則ではなく角運動量保存則であり、この法則が成り立つためには絶対静止空間が必ず存在しなければなりません。しかしニュートン力学のみでは絶対空間に対する系の回転運動は検出できても、絶対空間に対する系の等速直線運動は検出できないために、銀河系（われわれの属する天の川銀河）自体がいったいどの方向に絶対運動をしているのかは皆目わかりませんでした。ところが近年宇宙マイクロ波背景放射（ＣＭＢ）が発見され、それの詳しい観測によって銀河系の絶対運動も検出できるようになっているのです。まず『天文教育』（２００４年1月号）掲載の杉山直による論文「宇宙マイクロ波背景放射と宇宙の進化」より引用します。

ＣＭＢの存在によって、ビッグバンの存在が証明された。しかし、近年になって、ＣＭＢにはそれ以外にも豊富な情報が含まれていることが明らかになってきたのである。その情報とは、温度の揺らぎにあった。

ペンジャスとウイルソンの発見したＣＭＢは、どこの方向からもほとんど同じ強度でやってきていた。ある波長で同じ強度、ということは、黒体放射であれば、同じ温度であることを意味する。温度によって波長ごとの強度が決定されるからである。しかし、その温度（強度）も、非常に精密に調べてみると、ごくわずかではあるが、測定する方向によって異なることがわかってきた。

最初に明らかにされたのは、双極子成分の揺らぎであった。70年代には、スムート等によって、測定されている。双極子成分とは、ある特定の方向が他に比べて高温で、その１８０度逆側が、（その高温分と同じ絶対値で）低温になっている揺らぎのことである。その大きさは絶対温度０・００３Ｋ、揺らぎにして（２・７２５Ｋで割れば）１／１０００の大きさであった。

このような成分は、ドップラー効果によって引き起こされることはわかっていた。太陽系がＣＭＢ静止系に対して運動をしていれば、その運動の前方が高温に、後方が低温になる。ちょうど観測者が音源に向かって運動すると音程が高く、音源から遠ざかると音程が低くなるという音の場合のドップラー効果と同じである。太陽系は銀河系の中を回転運動し、銀河系自身も周辺の銀河たち（局所銀河群）と共に、おとめ座銀河団に引き寄せられていることが知られている。この運動を反映しているのである。一方で、ＣＭＢによって、宇宙の「絶対静止系」というようなものが定義できることは興味深い。

ＣＭＢによって、宇宙の「絶対静止系」が定義できるとすれば、絶対空間の存在とその具体的所在が明らかにできるということになります。しかし今のところその具体的所在については、完全にあきらかになっているというわけではなさそうです。２０１９年のウィキペディア「宇宙マイクロ波背景放射」の項より引用します。

ＣＭＢのもう一つの顕著な特徴は、非常に高い精度で等方的であるという点である。ごくわずかな非等方性は見られるが、最も大きな非等方成分は双極成分（１８０度スケールのずれ）であり、その大きさは単極成分（全体の平均）の10^{-3}程度である。この特徴は地球がＣＭＢに対して約370km/sで運動していることを示している。

さらに同じく2019年のウィキペディアの「グレート・アトラクター」の項より引用します。

なお、近年のR・ブレント・タリー（ハワイ大学）らによる研究では、われわれの銀河系を含む局部銀河群の特有速度は約631km/sでおおよそケンタウルス座銀河団の方向に向っており、これらは次の3つの運動成分の合成であるとしている。第1の成分は局部銀河群を乗せてローカルシート全体がローカル・ボイドから約259km/sで後退する運動である。第2の成分はおとめ座銀河団とその周辺の銀河の引力によるものであり、約185km/sでおとめ座銀河団の方向に向かう。第3の成分がグレート・アトラクターによるものであり、約455km/sで向点はおおよそケンタウルス座銀河団の方向にある。なお、偶然であるがこれらの3つの成分はほぼ直交しており、各成分の観測と分離を容易にしている。

CMB静止座標系に対する我々の移動速度の値が、ウィキペディアからのこの二つの引用で、かなり違っている理由が私にはよくわかりませんが、ともかくわれわれがケンタウルス座銀河団の方向に毎秒数百キロメートルというすごい速度で移動しているのは確かなようです。日本の各地でのケンタウルス座の南中時刻は星座表を用いればすぐわかりますので、ケンタウルス座銀河団に向かうわれわれのこの移動は、南北に設置した光ファイバーを用いて北行と南行の通信速度の違いとして検出できるのではないでしょうか。一度専門家の意見を聞いてみたいものです。

4 実無限は必ず矛盾を抱える

第2章において、ガリレオ・ガリレイの『天文対話』から引用しましたが、ここでは同じくガリレイの『新科学対話』から引用します。この書も『天文対話』と同じく対話形式で書かれており、登場人物も翻訳者が違うので少し表記が変わるものの、同じくガリレイの分身としてのサルヴィヤチ、アリストテレスの追随者であるシムプリチオ、そして良識ある調停者役のサグレドの三人です。

シムプリチオ　さあ解けさうにもない疑問が出て來ました。異なる長さの線分が存在し得ることは明かです。しかもそれ等はいづれも無數の點を含んでゐます。それ故に同一種屬の中に無限よりも大きなものが存在し得ることを認めざるを得なくなります。何となれば、長い線分の中に含まれた點の無限さは、短い線分の中に含まれた點の無限さよりもその程度が大きいからです。この或る無限量が無限よりも大きな値《あたひ》をもつといふ事は、全く私の理解の及び得ざるところです。

サルヴィヤチ　それは吾々が限られた智力を以て無限を論じ、有限な限定されたものについて知ってゐるいろ〳〵な性質を無限に押しつけることから起る困難の一つです。ほんたうはそんなことをしてはいけないと思ひます。何となれば、大きいとか、小さいとか、或ひは相等しいとかいふ言葉は無限なものには通用しないからです。それについて一つ例が浮びましたから、この問題を提出したシムプリチオ君に質問するといふ形式でそれをお話してみませう。その方がはつきりするでせうから。

勿論貴方は平方數と、平方數でない數との區別を御存じのことと思ひますが？

そもそも「線分上のすべての点の集合」というように、無限に存在するものを一まとめにして集合と考えること自体が実無限の立場であり、矛盾を引き起こすことになるのですが、そのことはここではおきます。可能無限の立場では線分を2等分する中間点、次に4等分する2点、それから8等分する4点と次々と分割点を増やしていくことはできるが、線分上の点の数は決して数え終えることはできないとします。そもそも2分割によって増えるのは等分割された線分の数であって、次の分割点の数は分けられた線分の数によって決まるわけですから、数えているのは実は点の数ではなく分割された線分の数であるわけです。隣の点を決められないのだから、線分上のすべての点を数える方法などそもそも存在しません。したがって「線分上のすべての点」など論理や数学の対象になるわけがないのです。ガリレイはそのことを踏まえて、有限数の比較へと話を持っていきます。引用を続けます。

シムプリチオ　よく知つてゐますとも。平方數は任意の數にそれ自身を掛け合せて出來る數です。例へば、4、9は夫々2、3から作られる平方數です。
サルヴィヤチ　よろしい。ではその積を平方數と呼ぶとともにその因數を邊または根と呼ぶこと、また二つの同じ因數の積でない數は平方數と呼ばないといふことも知つてゐるでせう。そこで平方數と非平方數とを含めたすべての數は平方數だけよりも多いと斷言しても嘘ではないでせうね。
シムプリチオ　さうですとも。
サルヴィヤチ　もし更に私が、平方數は幾つあるか、と質問したとすれば、貴方は、それに對應した根の數だけある、と答へるでせう？　正にその通りです。どの平方數も自分の根を持ち、どの根も自分の平方數をもち、且つ一つ以上の根を持つてゐる平方數はなく、一つ以上の平方數を持つてゐる根はないからです。
シムプリチオ　ほんたうにさうです。
サルヴィヤチ　だが、根は幾つあるかといへば、如何なる數もある平方數の根と考へられるから、それは數の全體と同じだけ、と言はざるを得ません。さうだとすれば、平方數は根と丁度同じだけあり、又すべての數は根であるから、平方數は數と同じだけあるといはなくてはなりません。（中略）無限數迄の間には、もしその個數を考へ得たとすれば數全體と同じだけの平方數があることを認めざるを得ないのです。

サグレド　さうなると一體、結論はどうなるのでせうか。

サルヴィヤチ　私には凡ての數の總體は無限であり、平方數の數も無限であり、その根の數も無限であり、平方數の數が凡ての數の總體より少いといふことも、又後者が前者より多いといふこともなく、最後に「等しい」、「多い」、「少い」といふ屬性はたゞ有限量にのみあつて、無限量にはない、としか言ひ得ません。（後略）

このサルヴィヤチすなわちガリレイ自身の指摘は重要です。つまり無限量といったものはその存在は想像はしえても、無限量同士の論理的比較はできないということです。ちなみに、サルヴィヤチのこの論法によって、２の累乗数2^nの数も平方数の数と同様に無限にありかつそれ自体も自然数であることが説明でき、線分の分割を無限に繰り返すことによって得られる細かな線分の数が、自然数の総体より多いとも少ないとも言えないことがわかります。次に数学者ポアンカレの実無限に対する批判を、彼の『科学と方法』より引用します。

カントルは數學に實無限、いいかえれば、あらゆる限界を越えようとする可能性あるのみならず、實際それを越えてしまったと見做される如き量を導入しようと企てた。彼は次の如き問題を考えてみた。すなわち「空間に存在する點の數は整數全體よりも多いであろうか。平面上の點の數よりも空間中の點の方が多いであろうか。」等の如き問題を設けてみたのである。

先に示したように「線分上のすべての点」が数学の対象になり得ないのと同様、「空間に存在する点の数」を数学的に論議することもまったくナンセンスなのです。ユークリッド幾何学において、「点とは位置をもち、部分を持たないもの」と考えられてきました。つまり長さを持つ1次元、面の広がりを持つ2次元、空間の広がりを持つ3次元などにおいて点は位置を持つことができるものの、長さや広がりを持たないのですから、線分上や平面上あるいは空間中の点の数など数えようがなく、したがって数学の対象にはなりえません。ポアンカレは、カントールのそういった根源的な誤謬にはっきりと気づいていたのでしょう。引用を続けます。

かくて、整数の數、空間の點の數等は、いわゆる超限基數と稱するもの、すなわち普通の基數のいずれよりも大きい基數を形づくるのである。カントルはさらにこの超限基數を互に比較することに興味をもち、また無限に多くの要素を含む集合の要素を適當の順序に排列して、彼のいわゆる超限序數なるものをも考えたが、これについてはわたくしは多くを説くまいと思う。

數多くの數學者がカントルの跡を追って同じ種類に屬する一聯の問題を考えた。彼等は超限數に習熟するの極、ついに有限數の理論をもカントルの基數の理論に從屬せしめるに至った。彼等から見れば、數論を眞に論理的に教授するためには、まず最初に超限基數の一般性質を確立して、しかる後にそのなかの一小部類として普通の整數を區別して論ずべきであるという。かゝる迂回によってこの小部類に屬するすべての命題を（いいかえれば吾々の數論及び代數學全體を）論理以外これに關係ない何等の原理をも用いずして、證明することができるというのである。

この方法があらゆる健全な心理に反した方法であることは明らかである。人間の精神は數學を建設するのにたしかにかくの如き過程を以て進んだのではなかった。故にわたくしは、かゝる人々も中等教育にこれを導入しようと夢みるようなことはないと思う。しかしながら、この方法はともかくも論理的であろうか、或はさらに適切な言葉を用いれば、この方法は正しいであろうか。疑問の餘地が存する。

それにも拘らず、この方法を採用する數學者はその數すこぶる多い。（中略）

不幸にして彼等は矛盾した結果に到達してしまった。これがいわゆるカントルの二律背反であるが、これに就いては後にまた説く機會があろう。彼等はこの矛盾にも挫けず、すでに現われて來た矛盾を消滅せしめるように彼等の規則に修正を加えることに努めた。しかも、さらに新たに他の矛盾が現われはしないかということに就いては彼等は何等確信をもたないのである。

今やかゝる誇大の言説に對して裁斷を下すべき時は來た。

> （中略）
> 實無限は存在しない。カントルの徒はこれを忘れて矛盾に陥ったのである。

レオンハルト・オイラーが偉大なる数学者であるとともに、すぐれた天文学者でもあったのに対して、ポアンカレはすぐれた数学者ではあったものの、物理学者としては現実の自然を蔑《ないがし》ろにした数理物理学者（つまり理神論者）に過ぎませんでしたので、絶対空間の存在を確信していたオイラーとは異なり、数学的に定義不可能だという理由で絶対空間の存在を否定してしまいました。しかし彼は純粋数学の分野ではすぐれた洞察力を発揮し、〝実無限〟が必ず矛盾に陥ることを完全に見抜いていました。彼が「この方法があらゆる健全な心理に反した方法であることは明らかである」と述べていることは重要です。カントールの方法（つまり実無限の立場で、対角線論法を使いしかも背理法によって数学の命題を証明するやり方）は健全な心理に反していると、ポアンカレは言っているのです。念のため付け加えると、ガリレイやポアンカレは無限の存在そのものを否定したわけではなく、無限量や無限数を論理や数学の対象にしようとする実無限の立場を批判して、数を無限に数え続けることはできるが数え終えることはできないとする可能無限の立場に立ったわけです。

　実無限の抱える矛盾について、この汎神論シリーズでは何度も論じてきましたが、ここで改めて簡潔に示しておきます。まずある無限集合$A=\{a_0, a_1, a_2, a_3, \cdots\cdots\}$が存在すると仮定すると、その集合Aと元が一対一に対応する集合B=$\{\{a_0\}, \{a_0, a_1\}, \{a_0, a_1, a_2\}, \{a_0, a_1, a_2, a_3\}, \cdots\cdots\}$も存在することになります。そうすると集合Aが集合Bの元であるとしても元でないとしても、矛盾が生じることになるのです。というのは、もし集合Aが集合Bの元でないならば集合Aと集合Bの元が一対一対応しないことになって矛盾し、集合Aが集合Bの元であるならばそれは集合Bの最後の元ということになって集合Bが無限集合であることと矛盾するからです。このことは無限集合が存在するという仮定つまり実無限の仮定が、必ず矛盾を生むということを意味します。したがって、無限の集合を対象にした場合には背理法は使えないことになります。つまり、すべての自然数の集合のような可算無限集合と全ての実数の集合のような連続体無限集合とは濃度が異なり一対一対応をつけることができないことを、カントールが対角線論法を用いて証明したとされていますが、この証明は背理法によるものですので正しい証明ではないのです。その証拠に、拙著汎神論シリーズ第2弾の『理神論の終焉』において、実無限を仮定すれば両集合の間に簡単に一対一対応がつけられることを示してあります。

　ここでは、「すべての自然数の集合」の存在を認めるならば、つまり実無限の仮定をおくならば、その「すべての自然数の集合」と「すべての自然数の集合のべき集合（すべての自然数の集合の部分集合を全部集めた集合）」とを一対一に対応させることが可能であることを示しましょう。前述の如くすべての自然数とすべての実数を一対一対応させることができることは以前に拙著で示しましたが、その時のやり方と同じく自然数の2進数表記のミラーイメージを使うわけです。まずすべての10進数表記の自然数を横一列に並べ、さらに左側にも自然数を縦一列に並べた表を作ります。次に縦に並べた自然数を2進数表記に書き換えます。その2進数のミラーイメージを表の中のそれぞれの行に書き込み、さらに空白の桁にはすべて0を記入します。そして1が入っている桁に対応する自然数のみからなる集合を対応させます。つまり例えば左から数えて3桁目のみが1である行には{2}を、1桁目と3桁目が1である行には{0, 2}を対応させていくわけです。これで「すべての自然数の集合」と「すべての自然数の集合のべき集合」との一対一対応は完了です（表1）。

ポアンカレには、実無限のように矛盾をはらんだ概念を数学の体系に持ち込めば、数学の体系そのものが破綻することがわかっていたので、カントールの実無限の立場に反対して「実無限は存在しない」と述べたのです。理神論者ではあったものの、ポアンカレはまともな数学者として、矛盾をはらんだ無限集合論など決して容認できなかったのでしょう。確かに矛盾律を前提に構築された論理学や数学の体系に実無限を持ち込めば、体系そのものがナンセンスになってしまいます。しかしかといって無限の実体が存在しないということにはなりません。無限の実体は存在するけれども、それは必ず矛盾を抱えているために論理や数学の対象にはなり得ないということなのです。パスカルは「われわれは無限が存在することを知っているが、その性質を知らない。たとえば、われわれは数が有限であるというのは誤りであることを知っている。したがって数には無限がある。しかしわれわれは、その無限が何であるかを知らない。

表１　すべての自然数の集合のべき集合の要素を並べる

		すべての自然数の集合							
すべての自然数		{0, 1, 2, 3, 4, 5, ……}							すべての自然数の集合のべき集合の要素
10進数	２進数	0	1	2	3	4	5	……	
0	0	0							{}
1	1	1							{0}
2	10	0	1						{1}
3	11	1	1						{0, 1}
4	100	0	0	1					{2}
5	101	1	0	1					{0, 2}
6	110	0	1	1					{1, 2}
7	111	1	1	1					{0, 1, 2}
8	1000	0	0	0	1				{3}
9	1001	1	0	0	1				{0, 3}
10	1010	0	1	0	1				{1, 3}
11	1011	1	1	0	1				{0, 1, 3}
12	1100	0	0	1	1				{2, 3}
13	1101	1	0	1	1				{0, 2, 3}
14	1110	0	1	1	1				{1, 2, 3}
15	1111	1	1	1	1				{0, 1, 2, 3}
16	10000	0	0	0	0	1			{4}
17	10001	1	0	0	0	1			{0, 4}
⋮	⋮								⋮

（中略）このようにして、人は、神が何であるかを知らないでも、神があるということは知ることができる。」と述べています。つまり、無限の存在が神の存在を示していると言っているわけです。パスカルのこの言葉によって、彼が理神論者ではなく汎神論者であったことがわかります。それに対して「この世界は創造主による被造物に過ぎず、したがってこの世界に神はいない」といった理神論の信仰をもつカントールは、「無限数にも大小があり、その大小は数学的に決められる」とする無限集合論つまり実無限をでっち上げて無限の相対化をはかり、この世界における絶対の実体（すなわち神）の存在を否定しようとしたのです。最強の騎士が最強の盾と矛を併せ持つように、無限で絶対で完璧な存在である神は必ず矛盾を抱えていなければならないわけです。

5 心と脳は別もの

ワイルダー・ペンフィールドは、１８９１年アメリカ生まれのカナダの脳神経外科医で、てんかんの外科治療の先駆者でありました。彼は、手術中に大脳皮質の電気刺激による脳局所の機能同定を行い、ヒト脳の大脳皮質の一次運動野と一次体性感覚野のホムンクルス（小人間像）として知られる機能地図を作成したことでも有名です。彼の著書『脳と心の神秘』より引用します。

意識についての問題や脳と心の関係を動物で研究するのは困難である。これに対して、患者とじかに接する臨床医は、意識や記憶や心を科学的に研究する上で有利な立場にあると言えよう。

ペンフィールドは、動物を用いて意識や心について研究するのは困難であり、その点臨床医は患者つまり人間とじかに接する立場にあるので、意識を研究するのに有利な立場にあると言います。引用を続けます。

私自身は、心を脳の働きのみに基づいて説明しようと長年にわたって努めた後で、人間は二つの基本的な要素から成るという説明を受け入れる方が、素直ではるかに理解しやすいと考えるに至った。（中略）

脳の神経作用によって心を説明するのは、絶対に不可能だと私には思える。また、私達の心は、一生を通じて連続した一つの要素であるかのように発達し、成熟する。さらに、コンピュータ（脳もその一種である）というものは、独自の理解力を有する外部の何者かによってプログラムを与えられ、操作されなければならない。以上の理由から、私は、人間は二つの基本要素から成るという説を選択せざるを得ないのである。これが、多くの確固とした科学者の求めている、最終的な解明へ至る見込の最も大きい道だと私は考える。

ペンフィールドは人間の心の探究を続けた結果、「唯物論《マテリアリズム》では〝心〟を絶対に説明できない」と思うようになったわけです。彼は脳をコンピュータに喩《たと》えたうえで、コンピュータを作動させるには〝独自の理解力を有する外部の何者か〟の存在が不可欠であるとしていますが、〝独自の理解力を有する者〟とは〝自己意識（つまり心）を有する者〟のことに他なりません。コンピュータ自体に本物の心や自己意識をもたせることが論理的に不可能であることは、『『すべてのクレタ人は嘘つきだ』とあるクレタ人が言った」のような「自己言及のパラドックス」を思いおこせば明らかでしょう。自分自身や自己意識を論理的に語ることなどできないのです。

二元論《デュアリズム》哲学を唱えたデカルトが、その哲学の出発点を「我思う、ゆえに我あり」に置いたのも、物質世界を論じるにあたって、まずその物質世界を認識している自我つまり自分の心の存在を宣言せざるを得なかった為です。引用を続けます。

アリストテレスが言ったように、心は「肉体に結びつけられている」そして、最高位の脳機構が傷害やてんかん性放電や麻酔剤のために働きを止めると、心は認められなくなる。それどころか、熟睡中も心は認められないのである。

心はこうして姿を消している間どうなっているのだろうか？　一元論にしたがえば、心は脳の働きに過ぎないのだから、認められなくなった時には存在していないことになる。心は最高位の脳機構が働きを始めるたびに作り直されるのである。

では二元論、すなわち心はそれ自体一つの基本要素であるという説にしたがえば、どうなるだろうか。この説によれば、心は、霊とか魂とか呼び方はいろいろあろうが、実体を備えており、連続して存在すると考えられる。したがって、心は脳との連絡が切れると沈黙はするが、いぜんとして存在していることになる。そして最高位の脳機構が働きを始めると、また自分の仕事にもどるのである。(中略)

人間は誰しも自分の生き方と個人的な信条を自分自身で選ばなければならない。これは科学の助けを求めることはできないのである。私も長い間自分なりの信仰を持ち続けてき

た。そして今、科学者もまた誰はばかることなく霊魂の存在を信じうることを発見したのだ！（中略）

科学者も医師も、たまには実験室や診察室を離れて、人間というこの奇妙に《ママ》能力に恵まれた生物について思いをめぐらしてみるとよい。人の心はいったいどこから来たのか――それは誰にもわからない。しかし心はたしかに存在するのだ。

物質一元論つまり唯物論では、熟睡中や麻酔で意識消失している間の心の存在が説明できないのですから、心は物質とは別の存在であると見なさなければならないというわけです。そして心の存在の科学的な証拠がないからといって心の存在が否定できないように、霊魂の存在の科学的証拠がないからといって霊魂の存在を否定することも決してできないのです。引用を続けます。

ここに私の話を終えるに当たり、私は医師としての見地からさらに一つの所見を述べようと思う。それは人間の本性を探求するあらゆる試みに関係するものであり、心は独立した存在であるという説にしたがうものである。それはまた、霊魂の不滅を肯定する所見とさえ言えるかもしれない！

「私達の心は死後どうなるのか？」

この疑問は、しばしば問題にされる別の疑問へつながる。「心は他の心とじかに交信できるのだろうか？」明白な科学的証拠を欠くという意味では、二番目の問いに対する答は「ノー」である。心は脳の仕組みを介してのみ他の心と交信できるのだ。この場合、言語機構が最も多く利用されることは確かである。しかし、心の本体はまだ神秘であり、そのエネルギー源も明らかにされていないのだから、心と心の間の直接的な交信が人生を通じて絶対に起こらないと言い切ることはできない。

人の心と神の心との間の直接的な交信となると、これはまったく別の問題である。はるかな昔から、数知れない人々が、祈りを通じて外部の何かの力から導きや啓示を受けたと主張しており、これはこうした交信の存在を暗示する。私にはこの証言を疑う理由はないし、それを科学的に吟味する方法も見出せない。

医師でない方々からすれば、科学的思考をすべき医師でありながら、宗教家のように霊魂の不滅を肯定したり、心と心の間の直接交信を論じたり、あるいは神に言及したりするなんてとんでもないと思われるかもしれません。そのうえ、たいていの医師たちもこのような話題には拒絶反応を示すのが普通です。しかし、特に人の意識に関わる診療科の医師たち、例えば救命救急医や麻酔科医、そして人の死に携わることの多い医師たちの中には、ペンフィールドと同様の考え方をする人が少なからずいるのも確かです。そして霊魂や死後の世界の存在を示す科学的証拠は今のところありませんが、存在しないという証拠もないのです。従って、自分の心の存在を確信することが非科学的ではないのと同様、霊魂や死後の世界の存在を信じることが非科学的だというわけでは決してありません。同書よりの引用は次でお終《しま》いにします。

死によって生命の灯が吹き消されたとき、心は消え失せてしまうように見える。私は「見える」と書いたが、これは、この問題について今までに得られた科学的な証拠から断定的に言えるのは、「心を脳で説明することはできない」ということだけだからである。私達が目覚めている間、心は最高位の脳機構からエネルギーを供給されると考えられる。そして私達の日常生活では、他の心との交信は脳のいろいろな仕組みを通じて行なわれる。とすれば、死後も存在するためには、心は脳以外のエネルギー源と結びつかなければならない。そうしなければ、脳と身体が死んで塵に帰すのと同じように、心は肉体の死と共に永久に消え失せるはずである。ところで、私達が生きていて脳と心が目覚めている間に、ほかの人の心あるいは神の心との間に時々直接的な交信が行なわれるとしたらどうだろう。この場合には、私達の外部に由来するエネルギーがじかに心に達しうることは明らかであり、心が死後に脳以外のエネルギー源に目覚めることを期待するのも不合理ではない。

私が言いたいのは、活動している心同士がまれにではあってもじかに交信することがあるとすれば、それは、何らかのエネルギーが心から心へじかに伝えられることによってのみ行なわれるということである。同様に、人の心が神の心とじかに交信することがあるとすれば、それはやはり何らかのエネルギーが霊へ伝わることを意味する。人間は死後どうなるのか──それはおよそ物を考えるほどの人なら誰でもが問う疑問であるが、今のところ科学はそれに何も答えてくれない。しかし、心を活動させるエネルギーの本体が明らかにされたあかつきには（私はそうなると信じている）、さらに進んで、科学者が人間の霊とは別の霊の本質を確かな根拠をもって研究できるようになる日が来るかもしれない。

「何らかのエネルギー」のような、科学的に解明されていない未知のエネルギーを持ち出すなんて、疑似科学（似非《えせ》科学）そのものだと思われるかもしれません。しかし今の科学が解明できている通常エネルギーや通常物質は全部合わせても、この世界に存在する全エネルギーの5％にも満たないことを今の科学はすでに認めています。そして残りの95％のエネルギーの内訳はというと、空間そのものがもつ見えないエネルギーつまりダークエネルギーが約70％を、各銀河を包み込んでいる質量は持つが目には見えない物質つまりダークマターが約25％を占めるとされているのです。心、テレパシー、霊魂そして神の存在などといった見えない存在や作用は、5％に満たない目に見える通常物質のみを主に追究している現代科学の研究対象にはほとんどなっていないのです。

ペンフィールドは臨床医であったからこそ、死や霊魂の不滅、そして神の存在といった問題に関心を持ったようですが、ともにノーベル医学・生理学賞受賞者であるジョン・C・エックルスとロジャー・スペリーという二人の脳科学者も、心や精神を脳の働きの産物に過ぎないとする唯物論に反対しました。まずジョン・C・エックルス著『自己はどのように脳をコントロールするか』の日本語版序文（伊藤正男による）より引用します。

神経生理学者で1963年ノーベル医学生理学賞の受賞者であり，かつまた，脳とこころの二元論者として知られた本書の著者ジョン・エックルスは，1997年5月2日，94才の高齢で亡くなった．この本は1994年に出版されたジョン・エックルス最後の著書である．

次に同書の著者自身による序文から引用します。

1950年代以来，Sperry（引用者注：ロジャー・スペリー）と私は，脳科学を唯物論の立場で解釈することに異議を唱えてきたが，概して無視されていた．唯物論者は，第3章3・5で紹介するEdelmanの唯物論的形而上学が示すように，宗教的ともいえる正統主義で自分を縛りつける独断的信仰組織の信者なので，相変わらず優位を保っている．（中

略）

ほとんどの神経科学者が唯物論 —— 一元論を信じている．この優位な唯物論は，意識を経験するという場合でさえも，脳を心よりも完全に上位に置いている．

本書で計画している最も重要なことは，唯物論に挑戦し，これを否定し，精神的自己を脳の支配者として復権させることである．

ここでエックルスは、哲学的立場はやや異なるものの、脳科学者として唯物論的一元論に反対している点においてはスペリーと完全に一致していると明言しています。次に同書の本文より引用します。

唯物論者の答では経験される独自性が説明できないので，私は，やむなく，自我あるいは魂の独自性を超自然的で霊的な創造物の所産と考えることにする（Eccles 1989, 238頁）．独自の個性の中核にある確信は「神の創造」を必要とする．私は，それ以外の説明はどれも支持できないと言いたい：到底当たらない宝くじのような性質を持った遺伝的独自性でもなく，人間の独自性を決定するのではなく単に変化させるだけの環境の差異でもない．この結論には，計り知れないほど大きな神学上の意義がある．この結論は，人間の魂についての信念を，そして神の創造におけるその奇跡的な起源についての信念を，大いに強化する．超越的な「神」，宇宙の創造主，Einsteinが信じた「神」のみならず，そのおかげで我々が存在するところの内在的な「神」も認められているのである．（中略）我々各人は素晴らしい脳を持っており，我々は，他の人間の自我を愛しつつ，自分自身の記憶や喜びや創造力のために，この脳を思いのままに使い**コントロール**しているのである．

Pascalが実に見事に述べたように，我々各人は，我々の理解の及ばない時間と場所で，自我として存在するようになる．なぜ，ここであって，他の場所でないのであろうか？　なぜ，今であって，別のときでないのであろうか？　我々はその目的への参加者ではないのだろうか？　さもなければ，そこには何の意味も存在しないのだが．我々は，親交，喜び，調和，真実，愛そして美を経験し，これに喜びを感じることはないのだろうか？　さもなければ，心のない宇宙があるにすぎないのだが．

ここでの以下の言説〝独自の個性の中核にある確信は「神の創造」を必要とする．私は，それ以外の説明はどれも支持できないと言いたい：到底当たらない宝くじのような性質を持った遺伝的独自性でもなく，人間の独自性を決定するのではなく単に変化させるだけの環境の差異でもない．〟が何を意味するかというと、これは〝ダーウィンの進化論〟批判なのです。つまり「神の創造」とはインテリジェント・デザイン（ＩＤ）のことであり、：《コロン》以下の部分では、突然変異と自然選択で進化を説明できるとするネオ・ダーウィニズムを完全に否定しているわけです。そして〝内在的な「神」〟や〝Pascal《パスカル》〟に言及していることから、エックルスが汎神論者であったことがわかります。なぜなら、哲学者の西田幾多郎がその著『善の研究』に、「神は宇宙の外に超越せる者であって、外より世界を支配し人に対しても外から働くように考えることもでき、または神は内在的であって、人は神の一部であり神は内より人に働くと考えることもできる。前者はいわゆる有神論theismの考であって、後者はいわゆる汎神論pantheismの考である」と記しており、またパスカルが汎神論者であったことは前章で示した通りだからです。

科学界においては現在でも唯物論者が主流を占めていますが、20世紀の科学界においては現在にも増して唯物論者が圧倒的な勢力を持っており、ペンフィールドやエックルスが唯物論に対抗して心の独立性を主張するためには、どうしても物心二元論の立場に立たざるをえなかったのでしょう。つまり、唯物論者が主張するように物質存在が独立した存在であることをまず認めつつ、心もまた（物質とは別の）独立した存在である、と主張せねばならなかったのです。しかし彼らの著作の引用からも分かるように、心が脳を支配しているのであって逆ではなく、また脳が麻酔で機能停止している間や死んだ後にも心は存在する、と彼らは考えていたのです。それに対し少し世代が若いスペリーは自分が二元論者とされるのが嫌で、唯心論《スピリチュアリズム》と唯物論の二分法で言えば自分は唯心論者であるから決して二元論者ではないということに拘《こだわ》りました。結局、この三人は等しく汎神論者（あるいは汎心論者）であったわけです。私は前著『縄文人の文化的遺伝子を今も受け継ぐ現代日本人』でパメラ・ワイントロープ編『THE OMNI INTERVIEWS　現代科学の巨人10』に掲載されたロジャー・スペリーへのインタヴューの一部を引用しましたが、今回そのまた一部を再掲載します。

OMNI　歴史を振り返ってみますと、科学を基盤にすえて価値体系をつくる試みは、博士が最初というわけではありませんね。博士の提案は、カール・マルクスや、フランスの生化学者ジャック・モノーなどのものと、どういう点が違うのでしょう？

SPERRY　彼らもまた、他の人たちがそれ以前に犯していたのと同じ誤りを犯していたと思います。あたかも彼らは、その唯物論的な哲学や、それに含まれる人間の本質や社会に対する解釈を認めるかのような形で、科学を受け入れました。

マルクス主義の価値観や世界観は、今ではよく理解されているように、科学に基づくシステムから出てくるはずのものとは、根本的にかけ離れています。（中略）

マルクス主義者やモノー、あるいは現代の非宗教的な人間主義者たちを含めた多くの人たちが科学を支持する場合、それはまたたいてい、制度化された宗教の否定をも意味しています。これは、特に現代の世界状況を考えた場合、誤りだと思われます。われわれは自分たちの視線を、利己主義、経済的利益、政治、そして日常の個人生活に必要な物資から、さらに高い価値観へと引き上げ、もっと長期的な、神のような優先性の高いものに向ける必要があります。

これでペンフィールド、エックルス、スペリーの三人の世界観が等しく汎神論であったことがわかります。次にフランス人の医師で研究者のアレキシス・カレル著『人間　この未知なるもの』（渡部昇一訳）より引用します。

ルネッサンス以来、人間のある面だけが勝手に重んじられるようになってしまっている。物質が精神から切り離されてしまった。そして、精神よりも物質の方がより真実であると見られている。（中略）

透視《クレアボイアンス》と精神感応《テレパシー》は重要な科学的観察対象である（生物学者や医者の多くは、他の心霊現象同様、テレパシー現象の存在も認めていない。これらの科学者の態度を非難することはできない。なぜなら、この現象は例外的であり、捉えどころがないからである。……）。（中略）

読心力は科学的、美的、宗教的霊感とテレパシーの双方に、同時に関連しているように見える。テレパシーによる伝達は、しばしば起きている。多くの場合、死ぬ時や大きな危機に直面した時、ある人が他の人とある種の連絡をとるのだ。死に瀕している人や事故の犠牲者が、事故後に死なない時でさえ、友人の所に普通の姿で現われる。（中略）たとえ透視に恵まれてはいなくても、一生に一度か二度はテレパシーを感じたことのある人は稀ではない。
　こうして外部の世界の知識が、感覚器官以外の経路で人間に伝わりうるのかもしれない。たとえ遠くに離れていても、ある人からある人へと思いが伝わることは確かである。

　1873年生まれのアレキシス・カレルは、外科医であるとともに、1912年にノーベル医学・生理学賞を受賞した科学者でもあります。そしてペンフィールド、エックルス、スペリーの三人と同様、カレルも精神の存在を確信しており、さらに「物質よりも精神の方がより真実である」と見ているのです。またカレルは、テレパシー現象つまりペンフィールドのいう「私達が生きていて脳と心が目覚めている間に、ほかの人の心や神の心との間に時々行われる直接的な交信」の存在を確信しており、しかもそれが重要な科学的観察対象であるとまで言っています。このことからも、彼がデカルトやラプラスのような唯物論的な科学者ではなく、ガリレイ、パスカル、ニュートンのように汎神論的な科学者であったことがよくわかります。

6 ダーウィニズムの間違い

第5章において脳科学者のエックルスが〝ダーウィンの進化論〟を批判していることを示しましたが、日本の進化論学者である今西錦司もダーウィニズムを徹底的に批判しています。その今西錦司の進化論を批判する目的で、1984年に来日したダーウィン主義者の英国人科学者ベヴァリー・ホールステッドが1988年に著した『「今西進化論」批判の旅』より、まず著者による「まえがき」より引用します。

> 京都大学名誉教授、今西錦司博士は、現代日本における有名人の一人である。高名な登山家であり、探検家であり、先年文化勲章を贈られた人である。（中略）
>
> 今西は、ダーウィンと対立する、昔からよくある立場に立っている。ダーウィンとは対照的に今西は進化の基本的重要性を生物の個体にみるのではなく、集団《グループ》にみる。彼は自然の中に争いをみるのではなく、むしろその中にある調和《ハーモニー》に注目する。今西は、こうした洞察は特に日本的な世界観から生じたものだと言っているが、この世界観は西洋の哲学や宗教とはっきり違うものである。若いころの論文は別として、今西は日本語だけでものを書

き、明らかに日本人の読者だけのために書いている。

ホールステッドは、今西が自らの洞察が日本的な世界観（つまり汎神論）から生じていると言っていることを承知したうえで、その日本的な世界観が西洋の哲学や宗教とは全く異質なものであると述べています。また、その世界観の決定的な違いのために、今西が西洋では自分の進化論が理解されないと感じて日本語だけでものを書くようになったのではないか、とホールステッドは推測しているわけです。引用を続けます。

私の観点は今西のそれとはまったく違う。私はヨーロッパの歴史と文化の中で育った科学者であり、ダーウィン主義者である。私がこのエッセイで意図するところは、今西の本質を探求しようとした私の歩みを読者諸氏にたどってもらうことにある。それは〝今西現象〟の科学的分析でもなければ、それを目指すものでもない。これはただ、私がいかにして自分の主題に取り組んだか、そして私がひどく曲折した道程の角々で何を発見したかの記録《クロニクル》にすぎない。（中略）

私は自分の西欧流のやり方で、今西一派の発祥地である京都へ、彼と彼の思想をたずねてやって来たわけだが、じつは明白な反対者として来たのである。（中略）友というものはあるがままに受け入れるだけで、くわしく調べる必要はない。だが、敵のこととなると話がまったく違う。できるだけくわしく調査することがどうしても必要である。戦わねばならないのなら、敵を知りつくさなくてはならない。敵の内心の動きを理解するためにあらゆる努力をし、彼の長所と短所を知っていなくてはならない。そういうわけで私は、人望のある京都エリートの一員にその地元の京都で挑戦し、ダーウィンを――つまり自然界での競争の概念を――擁護し、そしてその過程で個体の、さらには個体〔個人〕主義《インディヴィデュアリズム》の重要性を力説するために、京都へやって来た。以下の短い話は、今西が築きあげた体系を解体することを目的としたものである。

このように、ホールステッドはダーウィン主義者を自認するだけあって、端《はな》から敵対的で戦闘的であったわけです。なるほど、和《わ》や自然を尊ぶわが国の世界観とは全く違う世界観を彼は持っているのだな、と妙に感心させられます。「まえがき」は次の一文で締めくくられます。

今西の調和のとれた幻想は、山頂からしか見られないものだ。生きものの世界がはっきり見える平地の景観は、それとは著しく違っているのである。

この一文は、この著書に収められているホールステッドと今西錦司との対談中の、次のようなやり取りを踏まえたものなのです。

今西　私が目指しているのは、私の本当の目標は、自然とはどういうものなのか、ということを理解することです。その際に分析的な方法をとると、自然のもつ本当の意味から遠ざかってしまいます。たとえば分子生物学などは、自然からどんどん遠ざかっています。山頂から展望するのは、自然を理解するのに向いているのです。

ホールステッド　私の意見では、両方の見かたが必要です。

今西　自然を見るのにはいろいろな方法があって、違った見かたがあることは確かです。（中略）アジアへ来られると、いろいろな宗教がありますが、みな一神教でもないし無神教でもない。みな力があって、汎神論（多神教）なんです。私は汎神論的な傾向を支持しているのです。（中略）キリスト教と汎神論とは相容れないことがわかりました。

ホールステッド　汎神論は自然を経験することから出てくるものですが、自然の経験からキリスト教に到達することはできません。

私は前著『縄文人の文化的遺伝子を今も受け継ぐ現代日本人』において、櫻澤如一著の『白色人種を敵として（戰はねばならぬ理由）』（成史書院）から、櫻澤の次のような文言を引用しました。

私は現代西洋人の説くキリスト教（卽ちキリスト直接の言葉でないもの）を、宗教では

ないと考へる。宗教とはこの宇宙・現象の世界の、根本原因を教へるものである。（中略）

現代キリスト教はキリストの精神を離れた。

（中略）私は西洋には現代では宗教も信仰も殆どないと斷言する。

現代のキリスト教団の中にもイエス・キリストの教えをしっかりと受け継いでいるものもあることを私は知っていますので、櫻澤の断言は言い過ぎであるとは思いますが、ホールステッドのいうキリスト教がキリストの精神を離れて非宗教化してしまった、似非《えせ》キリスト教を指しているのは間違い無いと考えます。なぜなら櫻澤が言うように、この宇宙・現象の世界（つまり自然）の経験から離れた、選民思想のような身勝手な教義をもつ宗教や理屈のみで仕立て上げられた科学理論など、真の宗教や科学であるはずがないからです。『「今西進化論」批判の旅』よりの引用は次で最後です。

今西　……なぜ、あなたはダーウィニズムを擁護なさるのですか。これは非常にヨーロッパ的な考え方で、ダーウィン帝国主義です。（中略）

ホールステッド　無情な荒々しい力が勝利を収めるとする、ダーウィン帝国主義という概念は、ダーウィニズムが実際に内包しているものの意味を誤解しています。社会性動物について、最適者の生存ということは、最適者とはまさに協調しあうその者たちである、という意味なのです。（中略）今では、自然淘汰の過程は、現在の理解によりますと、相互扶助、利他的行動、共存などはダーウィン流の枠の中に組み入れられうるものだということを物語っている、と考えられています。

西洋諸国は、「進化は弱肉強食や優勝劣敗の生存競争の原理にもとづく自然淘汰によって起こるのだから、力こそ正義である」とばかりに帝国主義による植民地支配を正当化していましたが、それが通用しなくなると、言葉をかえて「適者生存の原理による自然選択によって進化が起きる」と言い直したのです。しかしダーウィニズムから相互扶助、利他的行動、共存などの行動を導くことは決してできません。社会性動物の出現は進化の結果であって、進化が適者生存の原理で起きるとするダーウィニズムでは社会性動物の出現の機序をそもそも説明できないのです。それに適者生存の原理は「適者が子孫を残す」という原理ですが、では「適者とは何者か？」と問われたら「子孫を残すものが適者である」としか答えられません。つまり適者という概念は必ずトートロジー（同語反復）に陥るのです。したがって適者生存の原理は科学的な原理ではないのです。「慣性系では慣性の原理が成り立つ」と「慣性の原理が成り立つ系が慣性系である」がトートロジーであるのとよく似ています。また自然選択も科学的に定義不可能です。つまり選択する主体としての自然と選択される客体としての自然とを明確に分離して定義できないのです。結局自然な選択つまり自然による自己選択ということになって、「自然（＝神）」による選択つまりインテリジェント・デザイン（ＩＤ）説と同じことになるのです。次に牧野尚彦著『ダーウィンとヒラメの眼』から引用します。

読者のみなさんは、生命進化のすべてが、ひたすら偶発的なＤＮＡのコピーミスに自然選択が作用した結果にすぎないという考え方に、心の底から賛同できるだろうか。そんなことはないだろう。この考え方には超えがたい論理的困難がある。

このようにこの著者は、第５章で引用したエックルス同様、突然変異と自然選択で進化を説明できるとするネオ・ダーウィニズムを批判します。しかし、エックルスやペンフィールドが唯物論を否定して二元論を経て唯心論（汎神論）に傾斜したのと異なり、この著者はあくまでも唯物論の立場を死守しようとします。引用を続けます。

現代生命科学は、唯物主義、物質系に意志や目的の否定、機械論的要素還元主義という規範の上に構築されている。そして避けがたく科学は、物質と精神、物と心とを統一的に理解することに成功していない。もし物質系に自発的意志を否定するなら、私たちの自覚する意志や心は、単なるゴーストにすぎないか、あるいは物質界から超越した別の次元の働きだということにならざるを得ない。それは物心二元論であり、一種の神秘主義にほかならない。科学が自己矛盾に陥らないためには、自発的意志の起源を物質の系に求めなくてはならない。

生命科学が唯物主義という規範の上に構築されていると決めつけたり、二元論や汎神論は一種の神秘主義だから非科学的であるとして否定してしまったりするのは、真に科学的な態度とはいえません。さらに引用を続けます。

ハチでもゾウリムシでも、明らかに自らを創生し、自発的に行動する。それらは、自発性を生成する組織化因によってこの世に生を受けたのだし、それを失うとき、すなわち死である。このような自発性、主体的認識と志向的行動こそ、生命界を非生命界から峻別する本質ではないのか。

ところが、その自発性を否定したところに生命科学は成り立っている。進化論もまさにそうだ。これが、生命をあつかう科学の最大の思想的欠陥である。私はそう思う。

ダーウィニズムが進化要因として自然選択しかあり得ないと決めつけたのは、物質には自発的な組織化能があるはずがない、という前提を置いたからである。ところがここに、厳としてそれが存在するではないか。そのような内因的組織化能が、生命の成り立ちに、ひいては生物進化に、まったく関与しないということがあり得るだろうか？

絶対に否だ。

断っておくが、私は、自然選択の意義そのものを否定する気は毛頭ない。それはたぶん進化の重要な要因の一つだろう。けれども生体高分子系の認識的自己組織化能に由来する自発性を否定して、ランダム性に頼ったのでは、進化論は論理的に破綻するのだ。


この主張はおおむね同意できるものです。ただし、動物と共に生命界に属している植物までもが〝自発性、主体的認識と志向的行動〟といった特性を持つとすることには、異を唱える向きもあるかもしれません。さらに引用を続けます。


生命とか進化の神秘を理解しようとすると、つい神の意志みたいなものを持ち出したくなる。生気論は生命素みたいなものを持ち出すし、機械論は自然選択を神様のように祭り上げてしまった。どちらも外因でしかない。私はこの生命のもつ自発的組織化因を、生体高分子系の物性という内因に求めたい。おそらく神の実体はそれなのだ。

私は、意志や心の起源をさかのぼってみると、究極は、生体高分子系の組織化における自発性に辿りつくのではないかと思う。そこで心は物へと一元化されるのだ。

こうして、物心二元論を止揚して真の一元論に立ち戻ることが、私の意図するところである。

ここでの〝私はこの生命のもつ自発的組織化因を、生体高分子系の物性という内因に求めたい。おそらく神の実体はそれなのだ〟という陳述は、とても興味深いものです。というのは、この著者が、生体高分子系がもつ物性を〝神の実体〟と表現して、「神」という言葉を持ち出しているからです。彼はきっと〝幽霊の正体みたり……〟のノリで〝神の実体は生体高分子系の物性だった〟と言いたかったのでしょう。しかし、実はそれは〝神の実体〟などではなく〝内在的「神」の片鱗〟でしかないのです。なぜなら彼のいう〝生体高分子系の認識的自己組織化能〟自体が偶然に生じる可能性はほぼゼロであり、生体高分子系にそのような能力が備わったことこそ、まさにインテリジェント・デザインが存在する確かな証拠であると言えるからです。結局、〝心は物へと〟ではなく〝物は心へと〟一元化されるわけです。つまり物心二元論は唯物論ではなく唯心論（汎神論）へと止揚《しよう》されることになるのです。同書よりの引用は次で最後です。

あらゆる生命体は、みな意志をもっているか、少なくともその原型をもっている。生きものというのは、みな内命性・主体性をもった、かけがえのない個性なのだ。

牧野のこの結論には、私ももちろん同意します。さて、この汎神論シリーズでは今までにも二度引用しましたので重複となりますが、『産経新聞』平成18年3月1日付朝刊の「正論」欄に掲載された、村上和雄によるコラム「再び接近し始めた『科学』と『宗教』」よりまた引用します。

いま、アメリカで「科学と宗教の論争」が再燃している。

ブッシュ大統領が「進化論」と「インテリジェント・デザイン（知的設計論）」の扱い方に触れたからである。（中略）

知的設計論とは、いのちやヒトの誕生に「知的な存在」がかかわったと考える理論で、十九世紀初頭から一部の科学者らが提唱してきた。

近年、遺伝子研究をはじめとする分子生物学の目覚ましい進歩により、ヒトの細胞の構造が解き明かされてきた。その成果をふまえて、知的設計論者はダーウィンの進化論だけでは到底その複雑さを説明できないと主張している。

これに対し、進化論を支持する多くの科学者は、知的設計論は表向きは聖書の「天地創造説」と一線を画するものの、結局は科学の衣をまとった信仰だと批判している。

（中略）

ヒトのゲノム（全遺伝子情報）は、わずか四つの塩基で構成され、この塩基のペアが約三十億個連なっている。塩基の配列が偶然のものとするなら、私たち一人一人は、四の三十億乗分の一という奇跡的な確率で生まれてきたことになる。

そのようなことは、今の科学の常識ではあり得ない。細胞一個、偶然にできる確率は、一億円の宝くじを百万回連続して当選したのと同じようなものである。

このような確率から考えたとき、私は知的設計論者の意見に近い。しかし、私の考えるサムシング・グレートは、単なるデザインの問題ではない。最初に生物を創ろうとする大自然の意志のようなものがあり、それに沿ってデザインがなされ、さらにいまなお一刻の休みもなく働き続けている、全生物の親のような存在と働きをサムシング・グレートと名付けている。

やはり「正論」欄のコラム「西洋医学の限界打ち破る新しい波」において、村上は「サムシング・グレート」を「目には見えないが、確かに存在する大自然の不思議な働き」のことであると説明しています。つまりサムシング・グレートとは「自然＝神」の汎神論の神のことなのです。それをあえて神や仏と呼ばなかったのは、一神教の神ではないことを明確にしたかったからに違いありません。

7 唯物論者の死生観

米国のイェール大学哲学教授であるシェリー・ケーガンが著した本『「死」とは何か』の広告が、新聞に何度か掲載されています。最近〔完全翻訳版〕も出版されたようですが、私は先に出た〔日本語縮約版〕を購入して読んでみました。しかし、その内容の浅薄さにはあきれてしまいました。シェリー・ケーガンはまず次のように、死についての一般的な解釈を示します。

> 死についての私の見方がどのようなものかを素早くつかんでもらうために、最初に、世間で言われている一般的な解釈を説明しよう。
>
> まず、私たちには魂がある。つまり、私たちは単なる身体ではない。ただの肉と骨の塊ではない。私たちの一部、ことによると本質的な部分は、物理的な存在以上のもので、それは霊的で非物質的な部分だ。私たちのほとんどが、何らかの非物質的な魂が存在すると信じていることは確実だ。
>
> そして、非物質的な魂が存在するのだから、この一般的な見方をたどっていけば、私たちは死後も生き続けられる可能性があることになる。いや、その可能性が高いことになる。

死は身体の消滅ではあっても、魂は非物質的なので、死後も存在し続けられる。

その後この著者は自身の見解を示すのですが、その冒頭から次のように、先に示した死についての一般的な解釈をいきなり全否定してしまいます。

さて、これから私が本書で何をするかと言えば、それはそうした見方は最初から最後までほぼ完全に間違っていると主張することだ。

私は魂が存在しないことをみなさんに納得してもらおうとする。不死は良いものではないことを納得してもらおうと試みる。（中略）何と言おうと、私は自分がこれから擁護する見方が正しいと考えているから、それが正しいとみなさんも信じるようになってもらえればと心から願っている。

つまり彼は「魂は存在しない」と考える自称物理主義者《フィジカリスト》であり、読者にもぜひ物理主義者になってほしいと願っているということなのです。物理主義《フィジカリズム》というのは結局は唯物主義《マテリアリズム》（つまり唯物論）であり、別の言葉で言えば理神論あるいは無神論ということです。彼が理神論者であることは次のような言葉からもわかります。

本書では合理的な見地から死について考えてみようとする。だから、ある種類の証拠やある種類の論拠は本書では使わないことははっきりさせておく必要がある。それはすなわち、宗教的な権威には訴えないということだ。（中略）私たちが非宗教的な観点から死の本質について考えなければならないとしたら、どのような結論に至るだろうか？　何であれ神に啓示された権威によって与えられるかもしれない答えではなく、自分の論理的思考力のみを頼りにしたなら、どのような結論に行き着くだろう？

つまり宗教的立場から離れて、論理的に考察する立場つまり純粋に理神論者として考察すると述べています。しかし彼によれば、その物理主義の立場からすると、次の引用にあるように、人間はただの機械なのだそうです。

この縮約版に含まれていない講で私はさまざまなものを区別したが、そのうちで最も重要なのは、「二元論」の見方と「物理主義」の見方の区別だ。

二元論者によれば、人間は身体（生物学者が研究できる物体）と、何か別のもの、すなわち心との組み合わせであるという。身体はもちろん、お馴染みのもので、肉と血、骨と筋肉の塊だ。だが、二元論者によれば、心は何か別物、何か物質的でないものであり、断

じて有形物ではない（原子からはできていない）のだそうだ。そして、心とは魂だ。（中略）

それに対して物理主義者によれば、魂は存在せず、身体があるだけだという。もちろんこれは、物理主義者が人には心があるのを否定するということではない。なぜなら、さまざまな精神的活動――考えたり、感じたり、意思疎通をしたり、望んだり、記憶したりすること――ができるのは、明白そのものだからだ。

だが物理主義者に言わせると、これは私たちに何か特別な非物質的な部分（すなわち魂）があるからではないのだそうだ。正しくは、人間の身体は考えたり、感じたり、意思疎通をしたりできる、というだけのことだ。（中略）物理主義者にとって、人間とはただの身体、手の込んだ有形物にすぎない。

もちろん、私たちはどこにでもあるような月並みな有形物ではない。人間とは驚くべき物体であり、人格を持った人間は他の物体にはできない、ありとあらゆる種類の機能を果たすことができるのだ（その機能を本書では「P機能（人格《パーソン》機能）」と呼ぶ）。だがそれにもかかわらず、私たちは有形物にすぎない。事実上、ただの機械なのだ。

（中略）

身体が存在することはすでに誰もが信じているのだから、私たちが問うべきなのは、魂が存在することも信じるべきなのか、となる。つまり、身体に加えて、非物質的な心もまた存在するに足る理由があるのか？

ここで「二元論」と呼ばれているものは、デカルトが提唱した「物心二元論」のことであるのは言うまでもありませんが、そうだとするとこの二元論に対応する「一元論」は「唯物一元論」つまり「唯物論」と「唯心一元論」つまり「唯心論」の二つを考えなければなりません。ところがケーガンは唯心論を無視して、物理主義つまり唯物論のみを二元論に対比させて二者択一を迫っているのです。実際、第5章で示したとおり、脳科学者のロジャー・スペリーは二元論を拒否して唯心論（汎神論）の立場に立ったのでした。

またケーガンは、人間が人格を持っていることは認めながらも、その人格を彼は「P機能（人格機能《パーソン》）」と呼びかえることによって、あたかも「人格」が機械も持ち得る機能の一つに過ぎないかのように読者に思い込ませようとします。しかし機械に自己意識や心あるいは人格を持たすことができないことは論理的に明らかなのです。それを知ってか知らずか、「人格」は機械でも持てる機能の一つであると強弁しているのです。

さらに「身体が存在することはすでに誰もが信じている」というくだりに注目しましょう。「信じる」という行為は心を持った存在にしかできません。デカルトが「我思う、ゆえに我あり」を出発点としたのは、まず自己の思考つまり心の存在を確信しなければ、自己の身体を含む物質世界そのものの存在を主張できないことに気づいたからです。もし心や魂の存在を否定するのならば、この世界を〝魂の存在しない機械仕掛けの被造物〟として創造した創造主が、この世界より先に存在するとしなければなりません。そうした創造主と被造物とを分離する「聖俗二元論」の教義をもつ宗教も確かに存在しますが、〝そういった教義にしたがって魂の存在を否定する〟のならば、まさに〝特定の神に啓示された権威によって与えられる答えに依っている〟ことになるのです。同書よりの引用は次でお終いにします。

私は仏教に途方もなく深い敬意を抱いていると言っておきたい。人生は苦しみであるという前提に立てば、すべて理にかなっている。

だが、良かれ悪しかれ、私は西洋の生まれだ。私は「創世記」の産物だ。「創世記」では神は世界を眺め、それが良いものであると判断を下す。少なくとも私には、人生はネガティブなものだと認めることで喪失を最小化する戦略は受け容れられない。だとすれば、私にとって、そしてひょっとすると私たちのほとんどにとって、すでに考察したさまざまな、もっと楽観的な戦略から選ぶのが妥当だろう。

シェリー・ケーガンはここで馬脚を露《あら》わします。つまり自らを、ユダヤ教の聖典の一つ「創世記」の産物だ（つまりユダヤ教徒である）と告白し、さらに「創世記」に記された神の判断を根拠に考察しています。「宗教的な権威には訴えず、合理的な見地から考察する」といった建前は、一体どこへ行ってしまったのでしょう？　実は物理主義（唯物論）というのは先に述べた「聖俗二元論」の教義をもつ宗教の世界観に他なりません。つまり、彼のいう物理主義つまり唯物論自体が、実は特定の宗教の教義に過ぎなかったのです。

ところで本当に現代の物理学は、彼のいう物理主義つまり唯物論を今なお堅持できているのでしょうか？　実は、この汎神論シリーズで何度も書いてきましたように、現代物理学は唯物論者がいうような物質、つまりハドロンやレプトンあるいはフォトン（光子）といったような素粒子からなる通常物質は、この世界の全存在の5％にも満たず、残りの95％は目に見えない存在つまりオカルトであることを認めています。したがって現代の物理学は唯物論を否定せざるを得ない立場にあるのです。このことをシェリー・ケーガンはまったく知らずにこの本を書いているのでしょうか、あるいは〝知ってて知らないフリをしている〟だけなのでしょうか、ぜひ本人に尋ねてみたいところです。

ところで、この章においてシェリー・ケーガンのこの書と共に、（おそらく同じくユダヤ人の）ユヴァル・ノア・ハラリの『ホモ・デウス』を取り上げて批判するつもりでしたが、同書を再読してみてあまりの酷さに引用する気にもなれず、取り上げるのをやめることにしました。どういった内容なのか興味のある方はご自分でご覧になって下さい。ただ一点、特に酷いところを指摘しておきますと、ハラリはケーガンと同様に唯物論者であるのですが、ケーガンが〝不死は良くない〟と極めて真っ当な考えを示しているのに対して、ハラリは、人類は今後当然ながら遺伝子工学などの科学技術を駆使して不死を目指し、不死を獲得した一部の人類（おそらくユダヤ人）は、ホモ・サピエンスからホモ・デウス（つまり神）へとアップグレードされることになるだろう、としているところです。ともかく、「自然＝神」と考えてお天道様つまり大自然に感謝しつつ、「おかげさま」「おたがいさま」で生きている普通の日本人の感覚ではとても読むに堪えない、唯物論者のグロテスクな妄想を書き連ねたような代物《しろもの》なのです。我が国では縄文時代より自然そのものが信仰の対象であったのに対して、ユダヤ教をはじめとする一神教の教えでは、自然や異教徒は征服すべき対象に過ぎないようです。アメリカの西部開拓においては、新天地（新大陸）の原住民や大自然そのものを征服することを、マニフェスト・デスティニー（明白なる使命）と呼び、それが「神の思《おぼ》し召《め》し」であるとして正当化したのです。多くの日本人が、「人がいずれ死を迎えるのは自然なことであり、お迎えが来た時には潔くそれを受け入れよう」と考えるのに対して、ハラリは、「ユダヤ教徒にとっては、死も克服されるべき自然現象の一つである」と考えているようです。西田幾多郎はその著『善の研究』において、唯物論者なる者や一般の科学者は本末を転倒した者であるとして、次のように何度も厳しく批判しています。

いわゆる唯物論者なる者は、物の存在ということを疑のない直接自明の事実であるかのように考えて、これを以て精神現象をも説明しようとしている。しかし少しく考えて見ると、こは本末を転倒しているのである。

（中略）唯物論者や一般の科学者のいうように、物体が唯一の実在であって万物は単に物力の法則に従うものならば神というようなものを考えることはできぬであろう。しかし実在の真相は果してかくの如き者であろうか。

余が前に実在について論じたように、物体というも我々の意識現象を離れて別に独立の実在を知り得るのではない。我々に与えられたる直接経験の事実はただこの意識現象あるのみである。空間といい、時間といい、物力といい皆この事実を統一説明する為に設けられたる概念にすぎない。物理学者のいうような、すべて我々の個人の性を除去したる純物質という如き者は最も具体的事実に遠ざかりたる抽象的概念である。（中略）最も根本的なる説明は必ず自己に還ってくる。宇宙を説明する秘鑰《ひやく》（引用者注：秘密の鍵）はこの自己にあるのである。物体に由りて精神を説明しようとするのはその本末を顚倒《てんとう》した者といわねばならぬ。

西洋の生まれでも、自分が「創世記」の産物だなどと思っていない人も大勢います。自然哲学の分野でも、ジョルダーノ・ブルーノ、ガリレオ・ガリレイ、ヨハネス・ケプラー、ブレーズ・パスカル、そしてアイザック・ニュートンといった十七世紀までの自然哲学の先達たちは、「この世界に神が在《いま》す」ことを確信しており、決して唯物論者ではありませんでした。ところが、科学哲学者の村上陽一郎が「聖俗革命」と名づけた、十八世紀のヨーロッパを席巻した啓蒙思想の流布、浸透をはかる運動によって、自然科学界のみならずほとんどの学界が唯物論にほぼ染められてしまったのです。そしてその「聖俗革命」を煽動したのは、「創世記」の産物だと自称する人々つまり「聖俗二元論」の教義をかざす者たちであったわけです。しかし、二十世紀に生まれた量子力学が明らかにしたのは、精神や意識から全く独立した客観的世界（つまり唯物論的世界）など、そもそも存在しないという事実でした。特殊相対性理論や熱力学が前提としているような〝客観的実在としての世界〟など無かったのです。結局、スピノザ哲学や西田哲学が説く汎神論の世界観こそが正しい世界観だったのです。

8 近代思想は虚構である

歴史家の田中英道はその著『日本人を肯定する　近代保守の死』において「近代思想は、つくられた思想つまり虚構である」と断定しています。近代科学ももちろん近代思想の一つですので、彼が正しいとすれば「近代科学も虚構である」ということになるのです。同書より引用します。

キリスト教は、旧約と新約の両方を聖書としています。旧約はユダヤ世界の聖典であり、新約はイエス・キリスト出現以降の聖典です。したがって、キリスト教が新旧両方を聖書としている限りは、その布教において、どうしても共同宗教としてのユダヤの考え方が浸透していくわけです。戦争の時、「目には目を」と述べる旧約の考え方を掲げ、平時の生活の場合には、隣人愛を説く新約の方を掲げることになるのです。ユダヤという共同体の宗教である旧約聖書と、個人宗教を説く新約聖書が一緒になってキリスト教となっている限りは、キリスト教社会において、どうしてもユダヤ人の共同体観と合一せざるをえないということになるのです。（中略）欧米にキリスト教としてのユダヤ人の共同宗教が入り込むことによって、彼らが、ユダヤ人に支配されるのは当然であり必然的です。旧約を根拠にして国家として団結するからです。しかしこの章の最初で述べたように、イエス・キリストをめぐる争いは新約聖書を聖典とする限りは永遠に続き、イエス・キリストを殺したのはユダヤ人であるという問題が常にそこに存在します。したがってユダヤ人問題は、今日まで非常に複雑な過程をとりました。（中略）

西洋のキリスト教世界というものは、ユダヤ人の生み出した二つの思想でできあがっているということになります。ユダヤ人がまとめ上げてきた旧約聖書を基に、その精神を受け継ぐかたちで新約聖書が書かれたとよく教えられますが、現実的には、両聖書の間には大きくて深い亀裂があるのです。その亀裂をめぐって、ユダヤ人とキリスト教徒たちが争っているわけです。

（中略）

ユダヤあるいはユダヤ人という言葉を口にすると、未だにちょっと顔をしかめる人が多いようです。ユダヤを語ることを忌避する、あるいは抑える、そういう習慣もまた、ユダヤ側が流し続けてきた宣伝による空気であるということを、やはりそろそろ知るべきです。

田中が述べているように、イエスの教えと元来のユダヤ教（とくにパリサイ派）とは実はまったく相容れないものであり、だからこそイエスはユダヤ（パリサイ人《びと》）によって磔刑へと追い込まれることになったわけです。ところがユダヤは、イエスもユダヤ人つまりユダヤ教徒であったとして、イエスの生きた時代にはまだ最終編纂さえされていなかったユダヤ教の正典の『聖書』を、『旧約聖書』としてキリスト教の聖典の一つにしてしまったのです。これはユダヤによるキリスト教の乗っ取りであると見ることができます。第6章で、櫻澤如一著『白色人種を敵として（戰はねばならぬ理由）』より、「私は現代西洋人の説くキリスト教（卽ちキリスト直接の言葉でないもの）を、宗教ではないと考へる。宗教とはこの宇宙・現象の世界の、根本原因を教へるものである。」を引用しましたが、櫻澤はまさにこのこと、つまり現代のキリスト教団の多くがすでにユダヤ化してしまっていることを言っているのです。

ユダヤ教の『聖書』つまりキリスト教の『旧約聖書』には「創世記」があり、それによれば、この世界は創造主による被造物に過ぎず、したがって、この世界は神のいない物質だけの唯物的世界である、ということになっています。つまり厳格な「聖俗二元論」の立場をとっているのです。ところが『新約聖書』の「ヨハネによる福音書　第17章」には、イエス・キリスト自身による父なる神への、次のような祈りの言葉が記されています。

あなたがわたしを世につかわされたように、わたしも彼らを世につかわしました。また彼らが真理によって聖別されるように、彼らのためわたし自身を聖別いたします。わたしは彼らのためばかりではなく、彼らの言葉を聞いてわたしを信じている人々のためにも、お願いいたします。父よ、それは、あなたがわたしのうちにおられ、わたしがあなたのうちにいるように、みんなの者が一つとなるためであります。すなわち、彼らをもわたしたちのうちにおらせるためであり、それによって、あなたがわたしをおつかわしになったことを、世が信じるようになるためであります。わたしは、あなたからいただいた栄光を彼らにも与えました。それは、わたしたちが一つであるように、彼らも一つになるためであります。わたしが彼らにおり、あなたがわたしにいますのは、彼らが完全に一つとなるためであり、また、あなたがわたしをつかわし、わたしを愛されたように、彼らをお愛しになったことを、世が知るためであります。

（インターネットサイト「ヨハネによる福音書〈口語訳〉」〈提供：Wikisource〉より）

このイエスの祈りの言葉が示しているのは、父なる神も、その子イエスも、そしてイエスの教えを信じる者たちも、すべてが神の愛によって一つとなるということです。イエスが示したこの「聖俗合一」の境地など、創造主と被造物という「聖俗分離」の教義で厳しく縛るユダヤの神が決して認めるはずがないのです。田中英道著『日本人を肯定する　近代保守の死』からの引用に戻ります。

ユダヤ人たちが政治的、経済的にも世界を支配しているだけでなく、思想的・文化的にも世界を動かす重要な位置にいるということは改めて認識しなければなりません。それは陰謀の類ではありません。キリスト教にはユダヤ人の旧約聖書が常にセットされていることから、西洋では必然的なところがあるのです。しかし、ユダヤ思想というものが必ず生かされるというのは西洋だけのことです。

ここに書かれているように、近代世界が政治的、文化的にユダヤ主義者たちに支配されてきただけでなく、思想的・文化的にもユダヤ思想（その正体は二元論的思考）による厳しい束縛を受けてきたのです。科学思想においても、絶対空間の存在、重力や量子もつれといった遠隔作用、インテリジェント・デザインなどは神秘主義あるいはオカルトであるとして批判され、唯物論、機械論、因果律、決定論、確率論などのみによってすべての物事を説明するのが科学の役割であるということにされてしまいました。しかしこれまでみてきたように、「唯物主義の立場で世界が理解可能である」とする理神論の世界観の方こそ誤っていることはすでに明らかになっています。ではその唯物主義をとる近代思想は、どのような状況下で広がっていったのでしょうか。同書の引用を続けます。

この章の主題は、「近代」思想はユダヤ人がつくった、ということですが、「近代」はフランス革命から始まった、と多くの人々は考えています。しかし、それは表の話です。

自由・平等・博愛を旗頭としたとされるフランス革命（一七八九年）はユダヤの思想を基にしたユダヤの革命であるというお話をしたいと思います。フランス革命を思想的に用意したのは前世紀から起こって十八世紀に主流となった啓蒙思想と呼ばれる思想運動です。辞書的には、合理的・批判的精神に基づいてキリスト教会を代表する伝統的な権威や思想を徹底的に批判し、理性によって人間生活を進歩・改善させるべきとする思想、と説明されています。代表的な啓蒙思想家としてフランスのモンテスキューやボルテール、ディドロといった人物が教科書ではよく出てきます。

（中略）

啓蒙思想は、教会や神への隷属ではなく、理性による自由と平等と博愛が理想的社会をつくると説き、個人主義の重視を訴えました。すでに私が述べてきた「近代」を実現することです。重要なのはこの思想に基い《ママ》てナポレオンが革命政府を倒した一七九九年のブリュメールのクーデターにおいて、カトリック教会による宗教制度を廃止させたことです。

（中略）

フランス革命は、ルイ十六世とマリー・アントワネットをギロチンにかけました。暴力革命の真骨頂ともいうべき事態ですが、その後フランスは深刻な混乱に陥ります。暴力によって暴力を制する以外にない状態が続くからです。

暴力を肯定するのもユダヤの思想です。

フランス革命が自由・平等・博愛を旗頭としたというのは全く建前に過ぎず、実際には自由・平等・博愛とは程遠い、特定の宗教的イデオロギーにもとづく残虐極まる暴力革命に他ならなかったのです。マルキシズムに基づくロシア革命もその実はユダヤの革命であり、やはり暴力によって二〇〇〇万人もの命を奪った凄惨な暴力革命だったのです。「神はユダヤ人だけのもの」であり「ユダヤ教徒以外は人間ではなく家畜《ゴイム》に過ぎない」とする選民思想にもとづき、ユダヤ主義者が非ユダヤ教徒から神を奪う目的で唯物論や理神論（つまり無神論）を「近代思想」の形で広めたわけです。そして現在でも、唯物主義つまり唯物論に批判的な学者が学界で地位を得るのは大変困難なようです。

本章の初めに〝「近代科学も虚構である」ということになる〟と書きましたが、もちろん「近代科学」のすべてが虚構であるというわけではありません。近代以前に確立されたニュートン力学やパスカルの原理、そして近代以降に確立されたマクスウェルの電磁気学や量子力学は、絶対空間や遠隔作用の存在を必要とする理論、つまり汎神論の世界を前提とする正しい理論です。ところがこの世界が「自然即神《すなわち》」の汎神論の世界であることを否定して、唯物論つまり無神論を広めたい連中が、ダーウィンの進化論、熱力学の第二法則（エントロピー増大則）そして相対性理論を持ち上げて、絶対空間や遠隔作用を否定し、ニュートン力学を近似理論に貶《おとし》め、量子力学に無理やり特殊相対性理論を組み込んだ量子電磁力学をでっちあげたのです。しかし確率事象の積み重ねと自然選択によって情報が増える（つまり進化がおきる）とするネオ・ダーウィニズムと、確率事象の積み重ねで情報は失われる（つまりエントロピーは増大する）とする熱力学の第二法則とは明らかに矛盾していますし、量子電磁力学では発散を防ぐために方程式に最初から無限大を繰り込んでおくという数学的禁じ手を使っています。さらに近年では、物理学会も、現在の物理学が研究対象とし得ている物質が、実はこの世界の全存在の5％にも満たないこと、残りの95％の存在はダークマターとダークエネルギーというダーク、つまり目に見えない（オカルトの）存在であることを認めています。つまり村上和雄のいう「サムシング・グレート」すなわち「目には見えないが、確かに存在する大自然の不思議な働き」の存在を、現代の物理学会も認めざるを得ない状況にあるのです。したがって、唯物論はすでに完全に破綻してしまっているのです。

9 ユダヤと虚構論理

1979年に出版されたモルデカイ・モーゼ著『あるユダヤ人の懺悔　日本人に謝りたい』(久保田政男訳）が、2019年9月に復刻出版されました。この復刻版の「帯」には田中英道の次のような推薦文が載っています。

戦後、日本を占領したアメリカといいGHQといい、その中核はユダヤ人であることを如実に示した好著である。四十年前、この本が出た時、買い求めたが、これを左翼の論壇が抹殺してきた。こうしたユダヤ人の懺悔を聞きたくなかったのだろう。なぜなら、日本の論壇こそ、左翼ユダヤ人たちが支配してきたからだ。

『日本人とユダヤ人』の著者イザヤ・ベンダサンが山本七平のペンネームであったように、モルデカイ・モーゼも久保田政男のペンネームであろうと巷間《こうかん》言われているようですが、それはきっと間違いないだろうと実際本を読んで思いました。山本にせよ久保田にせよ、多少ともユダヤ主義批判を含む本を日本人が書いたとなると、凄まじい攻撃を受けることがわかっており、本音をつつみ隠さず書くためにも、いたしかたなくユダヤ人が書いたように装ったのでしょう。それはともかく、まず同書の「はしがき」から引用します。

戦後は虚妄だと言われて久しい。私がここで考えることは、何よりもこの跛行性の原像を日本人はまだつかんでいないのではないかということである。この病理のルーツが分からないと、治療法も発見できないのは至極当然であろう。日本をこよなく愛する私としては、この問題を解明して日本人が真の日本歴史を生き生きと構築できるように側面から及ばずながらお助けしなければならないという、強い義務感、責任感におそわれるのである。

何故か。それはこれら病巣のルーツがほとんど誤れるユダヤ的思考の所産であるからに他ならないからである。

戦後、「唯物論」という誤れるユダヤ的思考に染められた日本人が、「日本を取り戻す」ためにまず必要なことは、ユダヤ思想の虚妄性をしっかりと認識することです。ユダヤ思想の特徴をこの著者は「二元論的思考」にあると指摘しますが、的を射た指摘であると思います。前章でも示したように、ユダヤ教の教義の出発点が創造主と被造物との完全な分離つまり「聖俗分離」の二元論にあることを思えばよくわかります。そして「真偽の二元論」に基づく「論理（数理）」によってすべての物事を理解できるとする「理神論」の世界観になるわけです。それに対して日本古来の世界観が「自然即神《すなわち》」の汎神論であり、その世界観の体現が天皇の存在であることを、この著者は指摘します。同書よりの引用を続けます。


文化的、歴史的、思考的、感覚的特徴を二元論的に対置して比較するほとんどのケースは、ユダヤ的なものを主役としているようである。

（中略）

日本民族のもつ最大の財産は天皇制である。これは全く世界に類例のない偉大なものであり、人類の理想とするものである。

（中略）

天皇が開口一番、自分の事はどうなってもいいから国民を救ってほしいと切り出した時、マッカーサーは驚天せんばかりであった。この席にルソーが同席していなかったのが真に残念であるが、西洋の君主というものはそれこそマルクスのいう支配者、搾取者である。一般大衆は被支配者、被搾取者に甘んじなければならない。（中略）前述の如く、天皇は開口一番、自己の生命や財産の保証ではなく、国民の財産や生命の保証を求めたのであった。国民を質入れして自己の保身を計る西洋の君主とは逆に、自己を質入れして国民の救済を求めたということである。（中略）

ヨーロッパの王朝では常に君主と国民の利害が対立している。然るに、日本の天皇制には決して利害関係の対立などない。仁徳天皇の「民のかまどに立つ煙」の故事を引き合いに出すまでもなく、また前述の天皇とマッカーサーの会見時の模様を説明するまでもなく、利害関係の対立は全くないのである。これこそ、君民共治の完璧な見本である。

近代以降の欧米においては、世界観は理神論一本に絞られてきました。そしてユダヤが神を独占し、ユダヤ人にのみ「聖俗二元論」や「物心二元論」の世界観を抱くことが許され、非ユダヤ人は神も心も奪われて「唯物論」のみを押し付けられてきたのです。ところがわが国では、縄文時代より自然そのものを神と考えて、自然に感謝し「おかげさま」で生きてきました。つまり日本人は古来汎神論の世界観をもち、また神武以来にあっては、民は「神（即ち自然）」と直接繋がっておられる天皇の存在を大切に思い崇《あが》めてきましたし、また天皇は民を大御《おおみ》宝《たから》としてやはり大切に思いその安寧を祈って下さるという「君民一体のお国柄」を続けてきました。このお国柄（つまり国体）を大切にすることによって、われわれは長きにわたって素晴らしい文化を、連綿と繫《つな》いできたのです。同書よりの引用を続けます。

戦前の日本には、八紘一字という大精神があった。これは神道のこれまた類い稀な偉大な思想に基づくものである。西洋の宗教の如き排他性をもたない、傑出した思想であるといえよう。（中略）

西洋列強の東洋諸国支配は搾取、収奪、奴隷化に他ならなかった。英国が印度支配のため最初に打った手は、既存の教育関係を絶滅し、諸民族を相争わせ、言語の複雑化を計ることであった。オランダのインドネシア支配も同様であった。そこには何ら建設的なものはなく、ただ自己のための搾取があるのみであった。（中略）

武士の国日本では、他民族では絶対に持ちえない繊細な心の機微というものがあった。本能的な西洋人には想像もつかない深遠な人間性の発露である。私は、この義理人情が究極点として天皇制に到達するものと考えている。（後略）

その国が西洋列強のように理神論の世界観を持つか、戦前の日本のように汎神論の世界観を持つかによって、国柄はこんなにも異なったものになるのです。しかし戦後になって、そのような国の品格の違いを隠蔽するために、GHQの手先となって「八紘一宇《はっこういちう》」の意味をねじ曲げ、それがあたかも周囲を征服することを意味するかのように喧伝《けんでん》する日本人も現れたのです。引き続き同書より引用します。

日本の皆さんは、虚構論理というものを信じられるだろうか。それは一見学問体系の如き体裁を整えているが、事実は真っ赤な虚構論理であるというものである。世界には、大変手の込んだ虚構論理というものが存在するのである。それがマルクス主義なのである。

（中略）

フランス革命の第一弾では、有名な「自由」「平等」「博愛」のスローガンで非ユダヤ人の不満分子をうまく利用したのであった。十九世紀はそれを一歩進めたわけである。だが、虚構論理を構築してもそれを真理、科学として信じ込ませることは並み大抵ではない。しかるにユダヤ人は宗教民族である。ここで宗教的呪縛力を最大限に活用した。

本書でここまで示してきたように、「相対性理論」「無限集合論」「熱力学の第二法則」「ネオ・ダーウィニズム」なども「マルクス主義」と同様まさに〝虚構論理〟であるのですが、しかしそれらは非ユダヤ人を「虚構の最終到着点」つまり「この世界に神はいない」という「無神論」へと駆り立てる〝道具〟としての〝虚構論理〟であるに過ぎません。ユダヤ主義者は、その（偽）民族の宗教的呪縛力を最大限に発揮するには、すべての非ユダヤ人を唯物論者（つまり無神論者）にしてしまえばよい、ということをよく知っているのです。引用を続けます。

マルクス主義の真の素顔は宗教ということである。日本共産党の態度を見ればこのことはすぐ分かると思う。科学といいながら、実際は決して経験科学の実証を受け入れようとしない態度がしばしば見受けられよう。（中略）人間の意識から独立した物質的、客観的条件により歴史は動かされる。しかも一定の法則に従って一定の方向性をもって動くと、

これを弁証法的唯物論を社会へ応用した唯物史観であると宣伝しているわけである。（中略）

最も根本的な問題は、二元論により唯物論と観念論の二者択一を強制されることである。マルクス主義の教科書はこの点から入門させるようにしているのを常とする。

結果として唯物論を否応なしに選択させられ、これをすべての土台として考えさせられる。しかも二極分化を強制する。つまり、如何なる時でも中間というものの存在を認めない。

元来、哲学的には唯物論と観念論は二者択一云々の問題ではない。原点においてすでに二元論的思考に陥っているわけである。当然の帰結として唯物論絶対優先ということに導かれる。

（中略）

ユダヤ人は、資本主義と共産主義を両建て主義といっているのである。（中略）

共産主義──マルクス──共産党宣言
資本主義──レーニン──帝国主義論

この二つを両建てとして至上目的の達成に向かうということである。

この著者が言うように、マルクス主義や唯物論（つまり唯物主義）そのものが、科学ではなく一種の宗教であり、それも最も野蛮で人間性を欠いた邪教、悪魔教に過ぎないのです。そして「マルクス主義」も確かに虚構論理ですが、実は「資本主義」も虚構論理であり、この二者はユダヤ得意の「両建て主義」に従って生み出されたものなのです。

ソ連崩壊の事実が示すように、今やマルクス主義、共産主義はかなり落ち目になっているようですが、汎神論者は決して安心してはいけません。共産党独裁の中国は未だに国力を保っていますし、軍事力もサイバー攻撃能力も増強し続けています。そして共産主義に代わる虚構論理も力を伸ばしているのです。それは民主主義とグローバリズムです。民主主義まで虚構論理と断定することには、もちろん反対される方も多いことでしょう。しかし、同書に次のような記述があります。

天皇制と民主主義が相容れないアンチテーゼであるということは、案外日本人は理解していないのではないかと思えてならない。日本では「民主主義」は全く聖域に祭り上げられているといってよかろう。戦後三十年を経た今日でも、日本では「民主主義」を批判しようものなら、それこそ袋叩きにあうこと受け合いであろう。（中略）

民主主義という言葉はギリシア時代にさかのぼるのを常識としているが、今日、日本は、いな世界中で云々されている「民主主義」というものは、実は我々ユダヤ人が創作したものである。戦後の占領改革が始まるや否や、我々ユダヤ人（アメリカと考えていたのでは何も分からなくなることはこのあとで説明する）は、戦前の「天皇陛下万歳」に代わる言葉として「民主主義」「自由」「平等」を日本人の頭に植えつけることに成功したのであった。

この著者によると、フランス革命でスローガンに盛り込まれた「自由」「平等」は、ユダヤ人が作ったワイマール憲法にも盛り込まれたそうです。引用を続けます。

あらゆる努力の結果、とにもかくにもワイマール共和国というユダヤ政権を樹立したのは一％に満たないユダヤ人である。この体制を維持するため早速、憲法の作成にかかったのである。

したがってその憲法の本質とするところは、いままでドイツ国内において差別されていたユダヤ人に対して彼らの権利を大幅に獲得させるものでなければならないはずである。また同時に、政府の要人のほとんどをユダヤ人で占めているワイマール体制というものをユダヤ革命政府として今後とも維持していかなければならないと考えたのは当然である。以上の目的のためユダヤ人が作成したのがこのワイマール憲法である。（中略）

成熟社会における「自由」「平等」は調和を崩し、国内を収束のつかない混乱に導くものである。さらに「自由」と「平等」の二つの概念の非両立性によりその矛盾、混乱は幾何級数的に増大する。

（中略）

このワイマール憲法に対する闘争として起こったのが、他ならぬナチズムである。

グローバリズムについては同書には一言も言及されていませんが、同書が書かれた時代には未だこの言葉が一般的ではなかったのでそれは致し方ないでしょう。そこで加瀬英明と馬渕睦夫の共著『グローバリズムを越えて自立する日本』の馬渕睦夫の発言部分より引用します。

ブレジンスキーの書いた本を読みますと、世界のグローバル化は歴史の必然だ、と言っています。これはグローバル市場化のことを言っているのだと思います。世界のグローバル化によってすべての人が幸せになるわけではないけれども、これは歴史の必然だから、正しいかどうかにかかわらず、世界はグローバル化すべきだ、簡単に言えばこう言っているのです。

ブレジンスキーはポーランド出身のユダヤ系の人ですが、私はこの言葉を聞いて、これはどこかで聞いたセリフだと思いました。共産主義がそうでした。共産主義は歴史の必然だから、どの国も共産化すべきだ。昔、アカの先生が言っていたことです。グローバリズムについて、同じことをブレジンスキーが言っています。ブレジンスキーはご承知のように学者であり、カーター大統領の補佐官までやった人ですが、ロックフェラーのような大実業家と共に世界を統一するための理論家として実際に働いていたのです。それが簡単に言えば、グローバリズムの正体です。

つまりグローバリズムとは衣装を変えた共産主義に過ぎないというわけです。結局、近代思想というものはほとんど全てが、ユダヤ主義を広める、つまりユダヤ主義者が世界を支配する為に造られたものであるわけです。その基本戦略は、非ユダヤ人を洗脳して唯物論者つまり無神論者に仕立てあげて神を独占し、ユダヤ主義者による世界統一つまり世界支配を完成させるというものです。

現代の日本人は「政教分離」は当然のことと思っていますが、実はこれもGHQがユダヤ教の「聖俗分離の教義」を日本に押しつけたものです。「政《まつりごと》」が「祭り事」を意味するように、我が国は上代において祭政一致であり、その後も天皇と臣民は「君民一体」の結びつきを保って国体を護持してきました。明治になってからも国家と神道（自然道つまり自然信仰）は強く結びついていましたが、第二次大戦後、GHQはまず1945年に神道指令を出して、日本の国家と神道とを分離してしまいました。さらに戦後発布された日本国憲法に事実上の政教分離の条項である20条と89条を入れさせたのです。これは他国の憲法に、特定の宗教（つまりユダヤ教という一神教）の「聖俗分離の教義」を無理矢理入れさせたわけであり、これこそ外国の特定の宗教による我が国への内政干渉に他ならず、まさに彼らの言う政教分離違反の極みであるわけです。

令和元年10月22日に「即位礼正殿《そくいれいせいでん》の儀《ぎ》」が、招待された国内の政治家や著名人たち、海外から招いた多くの賓客たちが見守る中、厳かに執り行われました。儀式においては安倍総理の音頭で万歳三唱が行われまた自衛隊によって祝砲も放たれました。多くの国民もテレビ中継に釘付けとなったことでしょう。ところが、これに先立つ平成30年3月22日に日本共産党の志位和夫委員長は記者会見を開き、この「即位礼正殿の儀」を含む、新天皇即位の三つの儀式について、「憲法の国民主権と政教分離の原則に沿って見直すべきだ」と表明したのです。つまり「これらの儀式が憲法に定めた国事行為にふさわしくない」というわけです。まさにGHQが押し付けた憲法を盾にとって、天皇と国民の分断を図ろう、つまり「君民一体」の国体を壊そうとしたわけです。共産党がユダヤ主義者の手先であることをあらためて思い知らされた出来事でした。

10 おわりに

さて「ここに何を書こうか」と考えていてふと思いついたのは、そういえばこの本の内容を簡潔に言えば「ユダヤ主義《ユダイズム》批判」と言うことになるなということでした。この本で批判したのはユダヤ主義以外にも、相対主義、唯物論《マテリアリズム》（すなわち物理主義）、マルクス主義（すなわち共産主義）、ダーウィン主義（および新ダーウィン主義）、自由主義、資本主義、帝国主義、民主主義、グローバリズムそして両建て主義などがあったわけですが、結局「イズム（ism、主義）」そのものを批判したかったのだと気がつきました。そしていろんな「イズム」を生み出して「イズム」間の対立を煽ること自体が、ユダヤの「両建て主義」に他ならないという事にようやく気づいたのです。そして以前に読んだ波多野一郎著「烏賊の哲学」の結論が「結局ヒューマニズム（人間中心主義）を始めとするイズムがいけない」というものであり、当時「ああ、そうなんだ」と納得していたことを思い出しました。

実はこの汎神論シリーズを書こうと思うようになったのも、波多野一郎氏の実弟である波多野茂彌氏と、ご近所のよしみで親しくしていただき、平成30年8月に氏が93歳で亡くなられるまで、永きにわたって毎週一、二回近所の飲食店で夕食を共にし酒を酌み交わしているうちに、氏から受けた薫陶のお陰なのです。氏は京都大学文学部出身のロマン・ロラン研究家で、大阪市立大学や奈良市の帝塚山大学で教授を務められました。哲学的には若い頃から西田哲学に傾倒し、後に京大文学部哲学科教授となる友人の上田閑照氏と一緒になって「絶対矛盾的自己同一」を唱え回っていたそうです。ある時私が「先生の哲学的立場はどんなものですか?」と質問したら、一言「私はパンテイストです」と答えられました。あとで調べてみて“pantheis《パンテイスト》”が「汎神論者」を指すこと、西田哲学が「神即《すなわち》自然」の汎神論哲学であることを改めて知りました。それまで私は全体論《ホリズム》哲学に惹《ひ》かれて「身心一如《しんじんいちにょ》」「梵我一如《ぼんがいちにょ》」を唱え、また宇宙意識の存在を確信していましたが、その哲学が実は日本古来の「自然即《すなわち》神」とする自然信仰つまり「汎神論」と同じものだったのだと分かりました。

　私がユダヤ主義を批判するのは、ユダヤ主義者がユダヤ主義批判を決して許さないからです。現在ヨーロッパ特にドイツやフランスでは、ユダヤ主義批判即《すなわ》ち反ユダヤ主義《アンチセミティズム》であり従ってそれは犯罪行為である、とされるのです。アメリカでも「全世界反ユダヤ主義監視法」が制定されており、日本を含む全世界の言論、出版に鋭く目を光らせています。ユダヤ主義つまりユダイズムはユダヤ教そのものをも指しますので、ユダヤ主義批判はユダヤ教に対する宗教差別とされ、反ユダヤ主義つまりアンチセミティズムはセム族たるユダヤ人に対する人種差別であるとされて厳しく取り締まられるのです。

　聖徳太子の「十七条憲法」や明治天皇の「五箇条《ごかじょう》の御誓文《ごせいもん》」でも明らかなように、我が国においては古《いにしえ》より和議による合議制が定着していました。そこへＧＨＱが戦後民主主義を押し付けたのは、君民一体の日本の国体を破壊するためだったのです。聖俗二元論の教義をもち、それに従って「神は、選民たるユダヤ人だけに、世界の支配を命じられた」として世界支配を目論《もくろ》むユダヤ主義者にとっては、「聖俗二元論」そのものを否定する日本の汎神論の国体を決して許せないのです。そこで天皇の存在を天皇制と言い換えて君主制（君主主義）と規定し、それと主権在民の民主主義との「両建て主義」を日本に持ち込み、両者を対立させて「君民一体」の我が国の国体を破壊しようとしたのです。

補記

この汎神論シリーズにおいて、『産経新聞』朝刊のオピニオン・コラム「正論」欄からしばしば引用してきましたが、令和元年の年末と令和2年の年頭にも、それぞれ近藤誠一と佐伯啓思による素晴らしい論説がこの「正論」欄に載りましたので、ご紹介させていただきます。まずは令和元年12月25日の朝刊に載った元文化庁長官近藤誠一による「歴史に学ぶ多様性こそ存続の鍵」から引用します。

この文明の中心となったのが、17世紀に始まった西欧合理主義である。これはリベラル・デモクラシー（自由・民主主義）という理念体系に発展し、快適な生活を人類にもたらした。しかしここへ来て機能不全の兆候を見せ始めた。理念そのものに欠陥があるからではなく、根幹を成す合理主義を一元的に、地域の多様性や人の感情を無視して押し付けようとしてきた結果に他ならない。

リベラル・デモクラシーは自由人たる個人が市場で競争し、選挙で統治者を選ぶことで社会は発展する。チェック・アンド・バランス機能で権力者は監視され、敗者や少数派もその意見が尊重され、次の挑戦の機会を与えられるからその結果を受け入れる。

しかし現実はこの前提から大きく乖離《かいり》している。（中略）

日本文化に解決のヒント

西欧文明には、合理性や科学信仰を一元的に進めようとする傾向がある。それが自然の生態系を破壊するだけでなく、自らの統治をも揺るがせている。（中略）

禁断の木の実は食べてしまった。解決にはあらゆる環境に対応できる多様性を文明に備えねばならない。それは自然に学び、地域の文化を導入することなのだ。（中略）

西欧の文明を消化しつつ、合理性による一元化の圧力に抵抗できる文化のひとつが日本文化である。西欧が人間中心、二元論、物質主義、普遍主義、個人主義であるのに対し、日本文化は自然中心、多元論、精神主義、多様性、個は全体の一部と捉えるなど、多くの点で西欧文化と対をなしている。例えば、日本には「三方一両損」のように、理屈によって正邪や勝ち負けを明確にするのでなく、誰もの顔を立てて、皆が納得する形で紛争を収める道を探る知恵があった。

（中略）

そしてその思想は日本語に反映されている。自然現象を表す語彙の多さ、「ゆかしさ」など人間のあるべき姿勢を表す言葉など、英語に翻訳し切れない言葉が多い。（中略）米経営者団体ビジネス・ラウンドテーブルが最近、株主第一主義を転換し、日本の伝統である「三方良し」の精神に近づいたことは象徴的だ。欲望の際限なき追求を抑制する上で「足るを知る」という日本語の背景にある思想の価値は大きい。英語による言語一元化の下では達成できない。

（中略）

合理主義や科学による一元化の圧力を和らげる上で必要な座標軸とは、生態系を支える多様性なのだ。それは将来人が歴史学者ユヴァル・ノア・ハラリのいう「ホモ・デウス」になって人間性を捨てデータ処理能力で優劣を競う社会にならぬための予防策にもなる。

近藤の言う日本文化こそ、汎神論の世界観に基づき「おかげさま」「おたがいさま」で共に生きる、和の文化なのです。そしてそれは、二元論（実は唯物一元論）に基づく勝つか負けるかの文化ではなく、「三方良し」や「三方一両損」を目指す、つまり損得を分かち合う文化であるわけです。特に近代以後の西洋文明は、理神論に基づく唯物一元論に染められてきました。その行き着く先が、科学技術によってアップグレードされて「ホモ・デウス」へと進化した超人達が支配するという、ユヴァル・ノア・ハラリの妄想の世界なのです。次に令和2年1月3日の『産経新聞』朝刊の「正論」欄に載った京都大学名誉教授佐伯啓思による「100年前と現代、文明の行方は」から引用します。

かつての「神」や「宗教的権威」に代って、西洋の近代社会は「理性」の絶対性と普遍性を打ち出した。理性を信奉すれば社会は進歩するはずであった。だがその結果はといえば、この現実である。(中略)

まさしく現代の文明は「歴史の危機」というほかなかろう。(中略)ヨーロッパでは、第一次大戦が終結し、1920年代が始まった。それからの20年は、政治や文化にとって、恐るべき混乱と危機の時代である。と同時に、かつてなく多様で革新的な知的営為の出現した時代でもあった。この底にあるものは、何といっても第一次大戦の衝撃であり、ヨーロッパ文化の崩壊の感覚であった。

18年に第1巻が、22年に第2巻が出版されたシュペングラーの『西洋の没落』が大きな評判を呼んだのも、まさしくそのゆえであったし、ヒトラーの『我が闘争』第1巻が25年に、第2巻が26年に出され、ハイデガーの『存在と時間』が27年に出版されている。これも時代を象徴しているだろう。

20年代、30年代のヨーロッパ文化の華々しい知的実験を列挙する暇はないが、ここで重要なことはその多くが、啓蒙《けいもう》主義が打ち立てた普遍的な「理性」に対して根底的な疑義を突き付けたということである。(中略)しかし、「理性」に代る新しい価値基準は見えない。そのなかから、社会主義、ファシズム、アメリカニズム(合理的な技術主義)などが新たな価値基準として登場する。そして、100年かけて、ファシズムが敗退し、社会主義が崩壊し、そして今日、最後まで残ったアメリカニズムが失効しつつある。われわれはほぼ１００年前に戻されてしまったのである。（中略）１００年前に、思想的な次元で、もうひとつささやかな試みが遂行されていたことを改めて思い出したいのである。
それは、西田幾多郎を中心とする日本の哲学の試みであった（西田の『善の研究』は１９１１年の出版）。日本思想こそが世界を救うなどと声高に叫ぶ必要はまったくない。ただ日本思想や文化の根源にあるものを静かに想起することこそが、この確かな価値の不在の時代にあって、われわれに精神的な指針を与えることになるのではないかと思うのだ。

ここで佐伯が書いているように、理神論を信奉する西洋近代社会は「歴史の危機」を迎えているのです。そして佐伯が控え目ではあるが、西田幾多郎を中心とした日本の哲学の試みの中にこそ危機を乗り越える指針があるのではないかと示唆しています。西田の『善の研究』を読めば西田哲学が汎神論の哲学であることは明らかであり、そしてそれはそのまま日本古来の哲学つまり世界観なのです。ところで本書第８章において引用した、田中英道著『日本人を肯定する　近代保守の死』においてもこのシュペングラーの『西洋の没落』に言及されていました。同章を書いた時点ではまだ『西洋の没落』を読んでいなかった為に引用を差し控えたのですが、佐伯啓思のこのコラムを読んですぐに同書を購読しました。そういうわけで、田中英道著『日本人を肯定する　近代保守の死』よりの引用を追加します。

二〇一八年という年は、ドイツの哲学・歴史学者オスヴァルト・シュペングラーによる『西洋の没落』の第一巻が発刊されてちょうど一〇〇年めにあたります。第一次大戦後のドイツを含む欧米全土で驚異的なベストセラーとなり、第二巻が四年後に発刊され、さらに読まれたのです。

（中略）

ひとりのドイツ人学者によって十六世紀以来世界を支配してきた西洋文明が、「没落」を予告され、すでに「没落」の初めにいると宣言されていたわけです。『西洋の没落』は一九七六年に邦訳出版されました。日本でも読まれたこの本は、西洋文明に内在する切実な没落感覚を如実に表しているものであったことは間違いありません。

日本では『西洋の没落』は、占領下でGHQの出版統制リストに上がっていました。日本での発刊が半世紀も遅れたのはそれが原因でしょう。『西洋の没落』は、ナチズムあるいはファシズムを評価する書物の系列として見られていたのです。

（中略）

現在、「西洋の没落」が端的にあらわれているのは西洋に移民の数が余りにも多くなり、異質の人々（アフリカ、中近東の民）によって独自な西洋文明が失われていることから来る「没落」という現象です。かつての西洋ではありえない、自己崩壊をしているということです。（中略）

今のようにあらゆる人が簡単に各国を行き来でき、必要があれば長期滞在をすることができる時代になってくると、大学のインテリの弱点は浮き彫りになります。欧米に留学し、その理論なり学問方法を学ぶという形の大学制度が今も変らず存在しているからです。「西洋の没落」は西洋的学問方法の崩壊に通じます。とくにフランクフルト学派の伸長は、基礎的学問の崩壊に通じているのです。

この引用の最後において田中英道が「西洋的学問方法の崩壊」や「フランクフルト学派の伸長が基礎的学問の崩壊に通じている」ことに触れていますが、本書で示したようにまさにその通りなのです。フランクフルト学派は、このシュペングラーの『西洋の没落』やヒトラーの『我が闘争』、ハイデガーの『存在と時間』といった、理神論に批判的な思想（つまりユダヤ主義に批判的な思想）に対抗する形で、30年代以降にホルクハイマー、アドルノ、ベンヤミン、マルクーゼ、ノイマンといったユダヤ系学者達が参画して始められました。シュペングラーの『西洋の没落』における「西洋」が「西洋近代思想」つまり理神論に基づく思想（＝ユダヤ主義思想）を指していることは間違いないでしょう。だとすると没落から復興する最良の手立ては理神論の呪縛を絶って汎神論の世界観に到達することなのです。物理学においては「相対性理論」や「熱力学の第二法則」を棄てて絶対空間、絶対時間と遠隔作用の存在を認めることであり、数学においては「実無限」を棄てて「可能無限」に戻ることであり、生物学においては

「ダーウィニズム」を棄ててサムシング・グレートによるインテリジェント・デザインを認めることなのです。

引用文献

ガリレオ・ガリレイ『天文対話（上）』青木靖三訳　岩波文庫
ポアンカレ『科学と方法』吉田洋一訳　岩波文庫
L・A・カリーニン『アインシュタインの根本的誤謬』吉田正友訳「物理の旅の道すがら」
V・l・セケーリン『相対性理論――20世紀の瞞着』吉田正友訳「物理の旅の道すがら」
S・N・アルテハ『物理学の根拠（批判的な眼差し）：相対性理論の基礎に対する批判』吉田正友訳「物理の旅の道すがら」
アイザック・ニュートン「プリンキピア　自然哲学の数学的諸原理」河辺六男訳『世界の名著26 ニュートン』中央公論社
杉山直「宇宙マイクロ波背景放射と宇宙の進化」『天文教育』（2004年1月号）天文教育普及研究会
ガリレオ・ガリレイ『新科学対話（上）』今野武雄／日田節次訳　岩波文庫
ブレーズ・パスカル「パンセ」前田陽一新訳　由木康改訳『世界の名著24　パスカル』中央公論社
ワイルダー・ペンフィールド『脳と心の神秘』塚田裕三／山河宏訳　法政大学出版局
ジョン・C・エックルス『自己はどのように脳をコントロールするか』大野忠雄／齋藤基一郎訳　シュプリンガー・フェアラーク東京

西田幾多郎「善の研究」青空文庫
パメラ・ワイントロープ編『THE OMNI INTERVIEWS　現代科学の巨人10』田中三彦訳　旺文社
アレキシス・カレル『人間　この未知なるもの』渡部昇一訳・解説　三笠書房
ベヴァリー・ホールステッド『「今西進化論」批判の旅』中山照子訳　櫻町翠軒監修　築地書館
櫻澤如一『白色人種を敵として（戰はねばならぬ理由）』成史書院
牧野尚彦『ダーウィンとヒラメの眼』青土社
村上和雄「再び接近し始めた『科学』と『宗教』」『産経新聞』平成18年3月1日朝刊「正論」
村上和雄「西洋医学の限界打ち破る新しい波」『産経新聞』平成15年9月9日朝刊「正論」
シェリー・ケーガン『「死」とは何か』柴田裕之訳　文響社
ユヴァル・ノア・ハラリ『ホモ・デウス』柴田裕之訳　河出書房新社
田中英道『日本人を肯定する　近代保守の死』勉誠出版
モルデカイ・モーゼ『あるユダヤ人の懺悔　日本人に謝りたい』久保田政男訳　沢口企画
加瀬英明／馬渕睦夫『グローバリズムを越えて自立する日本』勉誠出版
波多野一郎「烏賊の哲学」中沢新一／波多野一郎『イカの哲学』集英社新書
近藤誠一「歴史に学ぶ多様性こそ存続の鍵」『産経新聞』令和元年12月25日朝刊「正論」
佐伯啓思「100年前と現代、文明の行方は」『産経新聞』令和2年1月3日朝刊「正論」

革島　定雄（かわしま　さだお）

1949年大阪生まれ。医師。京都の洛星中高等学校に学ぶ。1974年京都大学医学部を卒業し第一外科学教室に入局。1984年同大学院博士課程単位取得。1988年革島病院副院長となり現在に至る。

【著書】
『素人だからこそ解る 「相対論」の間違い「集合論」の間違い』（東京図書出版）
『理神論の終焉 ──「エントロピー」のまぼろし』（東京図書出版）
『汎神論が世界を救う ── 近代を超えて』（東京図書出版）
『死後の世界は存在する』（東京図書出版）
『重力波捏造　理神論最後のあがき』（東京図書出版）
『世界は神秘に満ちている ── だが社会は欺瞞に満ちている』（東京図書出版）
『西洋近代思想の呪縛を解く ──「戦後レジーム」からの脱却を』（東京図書出版）
『「リベラル」の正体 ── 誤りを修正するのは学者の務め』（東京図書出版）
『縄文人の文化的遺伝子を今も受け継ぐ現代日本人』（東京図書出版）

「相対論」「集合論」といったペテンが、現代人の心を蝕んでいる

2020年4月30日　初版第1刷発行

著　　者　革島定雄
発 行 者　中田典昭
発 行 所　東京図書出版
発行発売　株式会社 リフレ出版
〒113-0021　東京都文京区本駒込 3-10-4
電話 (03)3823-9171　FAX 0120-41-8080
印　　刷　株式会社 ブレイン

ISBN978-4-86641-320-4 C0040
Printed in Japan 2020

ご意見、ご感想をお寄せ下さい。

[宛先] 〒113-0021　東京都文京区本駒込 3-10-4
東京図書出版